デジタルガレージ
未来が生まれ始まるところ
Tomorrow is another day
—— 次のファーストペンギンたちへ ——

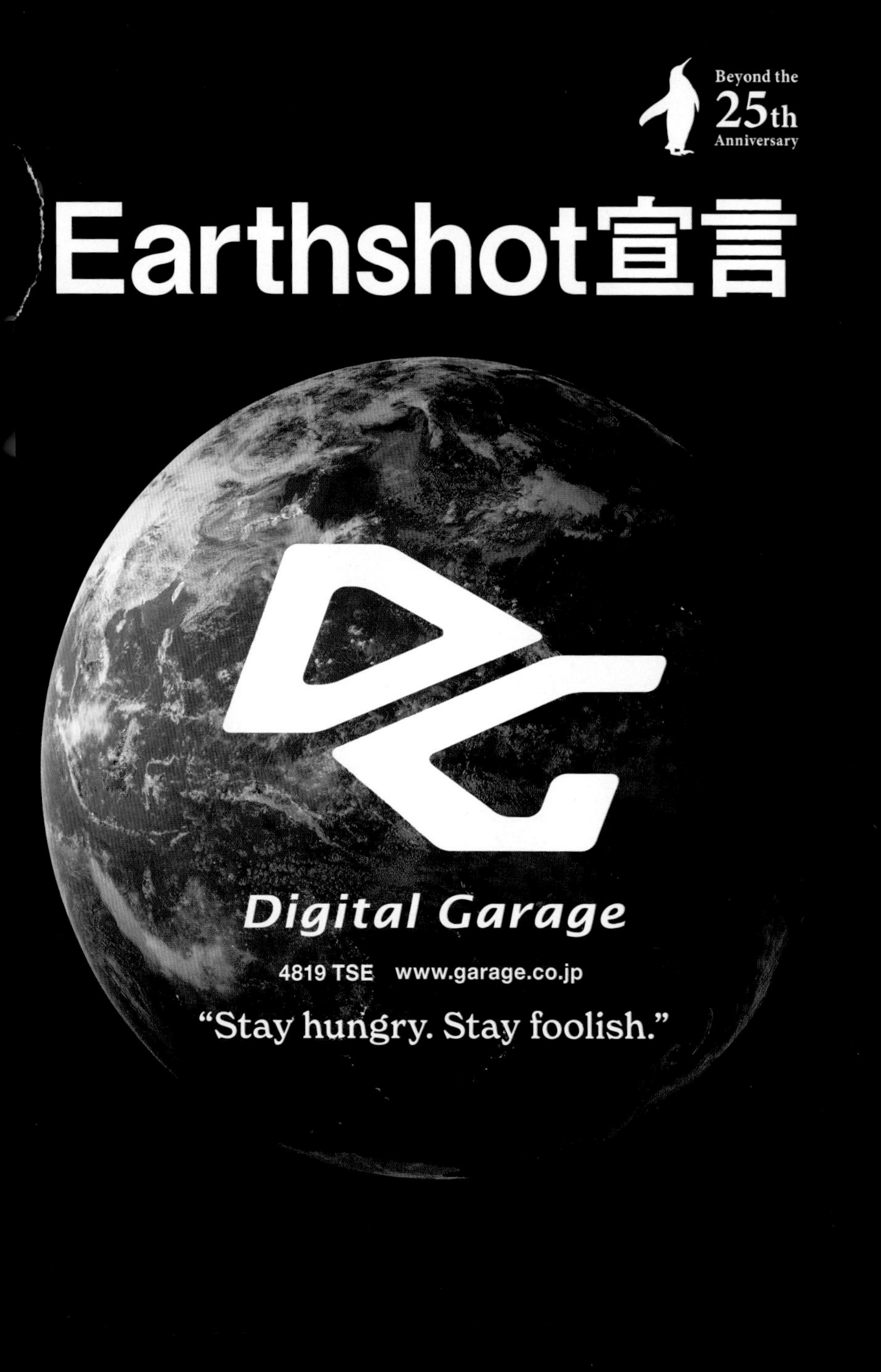
Beyond the 25th Anniversary
Earthshot宣言
Digital Garage
4819 TSE www.garage.co.jp
"Stay hungry. Stay foolish."

デジタルガレージ
未来が生まれ始まるところ

次のファーストペンギンたちへ

PROLOGUE

モノローグ

Opening Bell

日本経済新聞2002年11月27日掲載

交遊抄

微熱の桑港

林　郁

デジタルガレージを共同で創業した伊藤穰一さんの母親である伊藤桃子さんにお会いしたのは、インターネット革命前夜の一九九二年初めのことだ。大学卒業と同時に起業した私は、広告やマルチメディアの制作の仕事で米国西海岸に足繁く通っていた。そんな時、仕事でご一緒した米国の会社の役員をしておられたのが桃子さんだった。

あるとき「サンフランシスコに私の息子がいるので会ってみて」とジョーイこと穰一さんを紹介された。インターネットの未来、コンテンツビジネス、音楽とネット、サイバーパンクと美学――。出会いから数日で様々な情報を交換しあう仲になった。桃子さんは二人が意気投合するのを予見していたのかもしれない。その後も多彩な先輩方をご紹介いただいた。

残念ながら桃子さんは九五年春、現在の穰一さんの活躍を見る前に五十代の若さで亡くなられた。国際交流などの遺志は娘の瑞子さんを中心に「伊藤桃子ファンデーション／日米の国際教育財団」の活動に引き継がれている。

「あなたもジョーイも日本のニューブリード（新しい世代）ね」。少女のような桃子さんの笑顔と当時のインターネット革命前夜の微熱状態の桑港（サンフランシスコ）を、今でも懐かしく思い浮かべる。（はやし・かおる＝デジタルガレージ社長）

Scenes that remain in my mind

心象風景

インターネット革命前夜
微熱のサンフランシスコ

フリーのメディア編集者のような学生時代を過ごした私は、大手出版社の最終面接で出会った厚川欣也・南雲洋二両氏を誘い、富ヶ谷のガレージからフロムガレージという、広告・編集制作会社をはじめた。一番初めの仕事は映画『戦場のメリークリスマス』の記者会見で、この映画にも出演し、当時YMOで一世を風靡していた坂本龍一氏を招いた、学生記者やフリーペーパーに向けてのものだった。

フロムガレージは、広告会社からはじまり、クリエイティブ会社も加え、それなりのサイズのプロダクションへと急成長していった。

その後、マルチメディアの制作会社を設立し、日・米を忙しく往復しながら、インターネット以前のマルチメディアソフトのプロデューサー業務で、コンピュータ／音楽／映像／コ

デジタルガレージ設立後の富ヶ谷2丁目の山崎ビル。1996年頃の林

ンピュータグラフィックス／VR等の第一線の方々と出会った（映像作家の中野裕之氏、音楽家の細野晴臣氏、EW&Fireのモーリス・ホワイト氏、アーティストの立花ハジメ氏、VRのスコット・フィッシャー氏など、多方面の地球サイズの才能と出会った）。

その時に、ロサンゼルスでコンピュータグラフィックス制作会社の副社長をしていたJoiのお母様の桃子さんに出会った……そして、息子のJoiを紹介された。

Joiとの出会いは1993年サンフランシスコの空港。

大音響のシャコタンのアメ車から、短パンにアナーキックのTシャツで出てきたJoiは、ページャーを腰から下げて、パソコンだらけの車で迎えてくれた。

その日から2日間、インターネットの未来や、そのコンテクストとなったヒッピーカルチャー、『Whole Earth Catalog』、

デジタルガレージ設立直前、1993年頃のJoi

Appleコンピュータ、クラブミュージック、コンピュータグラフィックス、VRの未来等々を口角泡を飛ばして議論した。

1993年のサンフランシスコは、ヒッピーカルチャーからはじまったAppleがパソコンを創り、ティモシー・リアリーたちからのサイバーパンクのムーブメントが後の「MONDO 2000」や「WIRED」へと進化していった。

デジタルガレージのロゴをデザインしてもらったニック・フィリップ氏は、Tシャツアナーキックで一世を風靡していた。Joiはここに出てきた人たちすべてと繋がっている不思議な日本人だった。

もちろん、Yahoo!やAmazonは影も形もなく、MosaicとHTML Ver 1.0があったのみで、後のネットスケープジャパン、Windows 95へと続いていった。

Joiと出会った頃のサンフランシスコは、BGMでアンビエントテクノが流れ、最新のコンピュータグラフィックスがスピリチュアル世界を表現し、ネットワークされる直前のデジタルコンテンツが躍動する、インターネットビッグバン前夜の微熱の街だった。

——林 郁

創業10年を迎えた頃。サンフランシスコでの林とJoi

CHAPTER 1

インターネットの世界に漕ぎ出す

黎明期の試行錯誤を経て広告ビジネス・決済ビジネスの港へ

創業の地、渋谷区富ヶ谷。スパゲティ専門店ハシヤのガレージだった

Scenes that remain in my mind

心象風景

すべては〝TOMIGAYA〟からはじまった──Early Garage days

サンフランシスコから日本に帰国したJoiと、渋谷区富ヶ谷で頻繁に会うようになった。

私の会社フロムガレージも、Joiのオフィス兼自宅も、不思議な巡り合わせで〝富ヶ谷〟にあった。

Joiは、後にデジタルガレージと合併した有限会社エコシスをスタートする直前で、サイラス・シャウル（MITメディアラボ卒）、ジョナサン・ハガン（ロンドン大学数学科卒）のバイリンガルハッカーや、初期のMacのストリートデザイナー内海君など、オフィス兼住居の富ヶ谷のアパートで、テクノヒッピーな若者が最新のMacやSGIを駆使して、まだはじまったばかりのサイバースペースやコンピュータグラフィックスの世界を駆け巡ろうとしていた。

128Kのインターネットの専用回線を無料で使えるように米国プロバイダーと交渉

し、中古のサーバーをアメリカから持ち込んで、日本で最初のホームページ〝富ヶ谷／TOMIGAYA〟が生まれた。
これがテッキーなコミュニティで拡散され、国内外のメディア、研究者、技術者、マーケターが訪ねてきた。

ホームページの制作やインターネットを活用したプロモーションで、インターネットカフェやプロバイダー等の仕事を細々とはじめたが、私とJoiはインターネットが形作ろうとしはじめていた〝Something Great〟な何かが、新しいメディアのようなものを誕生させる、そしてそれが〝世界を、日本を変える！〟という、根拠のない確信に満ち溢れていた。そしてデジタルガレージを設立、すべての会社を合併した。慶應の村井純先生と出会い、Internet World Expoの技術事務局を担当したのが最初の仕事のようなものだったと思う。
情熱溢れる私たちの前には、インターネットの時空間が無尽蔵に拡がっているように感じた。そう、〝Garage Days〟のアプリケーションを起動した。

——林 郁

バスルームにやって来たインターネット

１９９４年（平成6年）。サンフランシスコで出会った二人の青年が、東京でそれぞれの道を進み始めていたこの年は、のちに日本における IT革命元年と言われる。それまでほとんどの日本人が耳にしたこともなかったインターネットという言葉が、その意味と本質が理解されていたかはともかく、この年からメディアにひんぱんに取り上げられるようになる。これまで大学などの研究機関だけが接続していたインターネットに、日本イーエヌエヌ、AT&Tやインターネットイニシアティブ（IIJ）といったVAN（付加価値通信網）会社と呼ばれる企業、およびニフティサーブ、PC-VANなどの国内大手パソコン通信ネットが接続し、企業のみならず個人向けにインターネット接続サービスを開始したからである。ちなみに、IIJが提供するダイヤルアップ接続サービスの料金は、加入料3万円、月額２０００円、別途1分当たりの接続料が30円という高額であったが、当時では「破格の安さ」と受け取られていた。

日本ではパソコンの出荷台数が伸び、前年の２３８万台からこの年は３３６万台へと急増する。人気機種はNECのPC-９８シリーズだったが、MS-DOSから Windows 3.1

への転換が進むにつれ、さまざまなメーカーの機種が秋葉原の店頭を賑わせた。個人でも買える初のデジタルカメラとしてカシオからQV-10が発表されたのもこの年であり、年末には初代プレイステーションとセガサターンが発売され、デジタル機器、デジタルガジェットが家庭の中へどんどん入り込んでいった。

そんなふうに人々の意識の中に「デジタル」という概念が侵入し始めていくのだが、とはいえ、インターネットとは何なのかを正しく知る者は、1994年にはほとんどいなかったと言ってもよいのではないだろうか。いわばツリー状の閉鎖的な情報システムであったパソコン通信とそれは何が違うのか。そして何ができるのか。未来はあるのか。ビジネスの先端にいる者ほど、インターネットの正体を知りたがった。

その本質を直観的に、また身体的に知っていた希少な人間が、この二人の青年、つまりジョーイこと伊藤穰一、そして林郁であった。

伊藤は渋谷区富ヶ谷のマンションの小さな一室にオフィス兼住居を構え、アメリカと日本を行き来しながら、ファッションからコンピュータグラフィックまで手広く、正確に言えば彼の審美眼と哲学に適ったものならすべてをビジネスにしてしまうというスタイルで活動していた。生後まもなく家族と共にカナダに渡り、3歳でアメリカに移住、14歳まで暮らした伊藤は、帰国したのちも高校卒業とともに再渡米、タフツ大学で計算機科学を、シカゴ大学で物理学を学び（いずれも堅苦しさに耐えられず中途退学）、またシカゴではクラブのDJとして活躍し、はたまたそのシカゴからの音楽カルチャーを日本に持ち込み、六本木のクラブ「XY Relax」を運営するなど、自由で〝破格〟な青春を送る。それゆえに手にすることとなった幅広い〝破格〟な人脈が、彼のビジネスに大きな役割を果たしていた。

そんな伊藤のもとに、アメリカでインターネット接続事業を手がけるインターコム社から、日本での事業展開をするための拠点を作りたいので協力してほしいとの依頼があったのが前年の1993年のことである。インターコム社はすでに東京・鶯谷にある雑居ビルの元カラオケボックスだったという小さな部屋にオフィスをかまえていたが、日本の当局から免許が取得できず、接続サービスを始めたくても始められないでいた。そのため、資金を節約する必要から場所を貸してほしいと伊藤を頼ったというわけである。伊藤は対価としてインターネット専用線を無償で使用できるという条件を提示し、そして受け入れられた。

やがてインターネットの専用線が伊藤の暮らすマンションの一室へと、正確には彼のバスルームへと引き込まれた。小さな事務所兼住居の2LDKでは、サーバーをはじめとしたインターネットに接続するためのさまざまな機器を収容するには、ユニットバスが鎮座するバスルームしか選択肢はなかったのだ。

この日のために、伊藤はまずサーバーとしてサン・マイクロシステムズ社のワークステーション「SPARC 1+」の中古を用意した。当時は低価格モデルでも100万円はした高嶺の花のこのマシンは、アメリカのオークションでわずか14万円ほどで競り落としたもの。ビデオ表示端末としては同じく中古のディジタル・イクイップメント・コーポレーション（DEC）社の「VT100」を手に入れた。1978年製の旧式のマシンであり、ディスプレイには1行80文字が表示されるはずなのが40文字しか映らないという不具合があったが、コストを切り詰めるにはしかたのない選択だった。

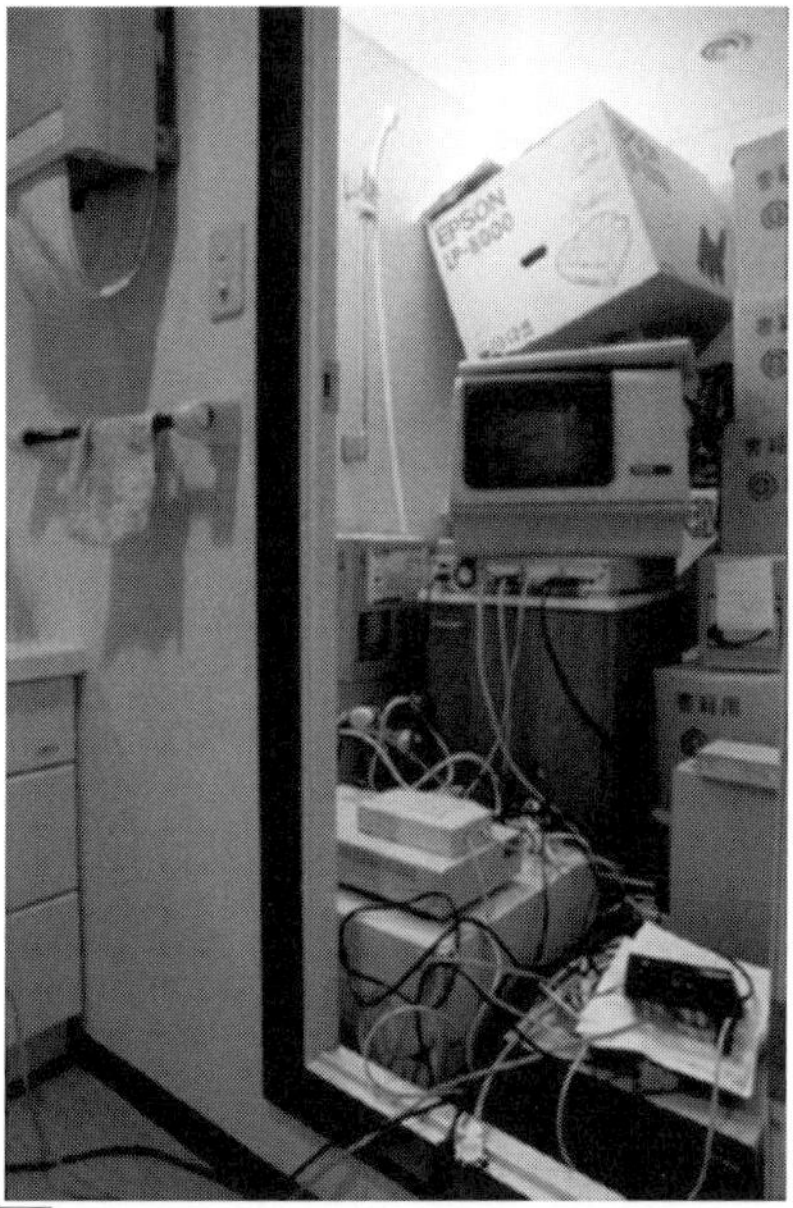

かの有名な、日本で最初のHP“TOMIGAYA”のバスルーム。サンのサーバーが見える

機材はオンボロでも、インターネット専用線は文句なしの最先端だった。その通信速度は１２８Ｋ／秒で、当時、個人宅に引き込まれるネットワークとしては驚くほど高速だった。翌１９９４年に東京―サンフランシスコ間にＷＩＤＥプロジェクトによって基幹回線――バックボーンが開設されるのだが、その速度が１・５Ｍビット／秒であったから、そのおよそ１００分の1足らずということになる。個人としてはいかにケタ違いの速度の回線を有していたかということである。ちなみに、当時一般的だったパソコン通信で用いられていたモデムの通信速度は、２４００〜９６００ビット／秒で、伊藤の回線が新幹線なら、こちらはいわばジョギングか自転車並みの速度だ。なお、２０２1年時点では、家庭用光回線の下り（ダウンロード）の平均速度は、80〜１００Ｍビット／秒。この30年の間に速度はまさに指数関数的に上昇したのである。

地球上に出現して間もないサイバースペース――いわば幼年期にある電脳空間を隅々まで探検できる高速探査艇を手にした伊藤は、この新世界を時間がたつのも忘れて飛び回り、潜航し、あるいは滞空し、その地形や風や光や闇や都市や部族や未来を探り続けた。軍事用のネットワークとして誕生し、やがて限られたエンジニアや研究者たちのコミュニケーション手段として発達してきたインターネットは、多くの人々に開放されたことでその世界はまさに偉容と表現していい複雑さや無辺さをすでに備えていた。そして伊藤は知る。インターネットは情報の持つ価値というものを根底から変えるだけでなく、時空間をも変えてしまうと。これまでは、何万キロと離れた場所から情報を得るにはその物理的距離に応じたお金と時間がかかり、それは情報の独占を意味した。だが、インターネットの世界では物理的な距離もお金もまったく問題にならない。情報は時空間も貨幣も軽々と超越してしまう。それは経済だけでなく社会のあり方そのものを根底から変えてしまうだろう。つまり、そこはまったく新しい価値観と世界観を持った人間だけが開拓できる無限の広がりを持つ荒野なのだと。

伊藤のオフィス兼住居にとんでもなく高速で、しかも使い放題のインターネット専用線が入ったと聞いて、毎日、多くの友人たちが群がるようにやって来た。ほとんどがＰＣ通信等、電脳ネットワークで繋がったインターネットのアーリーアダプターたちで、その中にはＭＩＴを出たサイラス・シャウル、伊藤が通っていたインターナショナルスクールの後輩でロンドン大学を卒業したてのジョナサン・ハガンもいた。この二人は、のちに創業期のデジタルガレージの中核を担う人物となる。

１９９３年９月、ようやくインターコム社は日本の通信免許を取得し、日本法人ＩＩＫＫを設立、日本初の商用インターネット接続事業をスタートさせた。のちに、伊藤が日本法人の社長を務めるPSInetが、このＩＩＫＫを買収することになる。

これがＩＴ元年に先立つ１９９３年に伊藤に起きたことのあらましである。

なお、１９９３年は世界初のブラウザ「Mosaic」が開発された年である。現在の私たちの生活にとって不可欠であるＷｅｂサイトだが、その閲覧に必須であるＷｅｂブラウザ、その最初の製品が「Mosaic」なのである。開発したのは当時22歳のアメリカの大学生、マーク・アンドリーセン。インターネットを介して送られた情報を一つの画面に文章と画像が混在したものとして表示し、さまざまなホームページ（情報）をハイパーリンクによって空間を越えて結ぶというアイデアでありテクノロジーであるＷＷＷの夢は、この「Mosaic」の登場をもって初めて現実のものとなったのである。

ガレージからサイバースペースへ

そして１９９４年である。

林郁が厚川欣也、南雲洋二とともにその11年前、１９８３年に立ち上げたのがフロムガレージだ。大学最終学年のときに大手出版社の最終面接で隣り合わせたという妙な縁の３人が、林の呼びかけで集まったのである。最初は米国西海岸のキャンパスフリーペーパーをまねた、若者向けフリーペーパーを発行していた。何せインターネットどころかＰＣも登場したばかりの環境だったが、自社のフリーペーパーで米国西海岸の文化を伝え、広告の企画にも最新の外国の音楽、アート、クリエイティブをマッシュアップした、その独特な企画力で、20代の若者たちがはじめたガレージカンパニーにしては、それなりのサイズの仕事のオファーが入りはじめていた。体制も、広告プランニング会社のフロムガレージからはじまり、デザイン会社のクリエイティブガレージ、そしてインターネットへと続くマルチメディア会社のスタジオガレージを加えた、３社グルー

フロムガレージが発行していたフリーペーパー「Student Press」の創刊準備号。“Japan-America”にDGのルーツを感じる

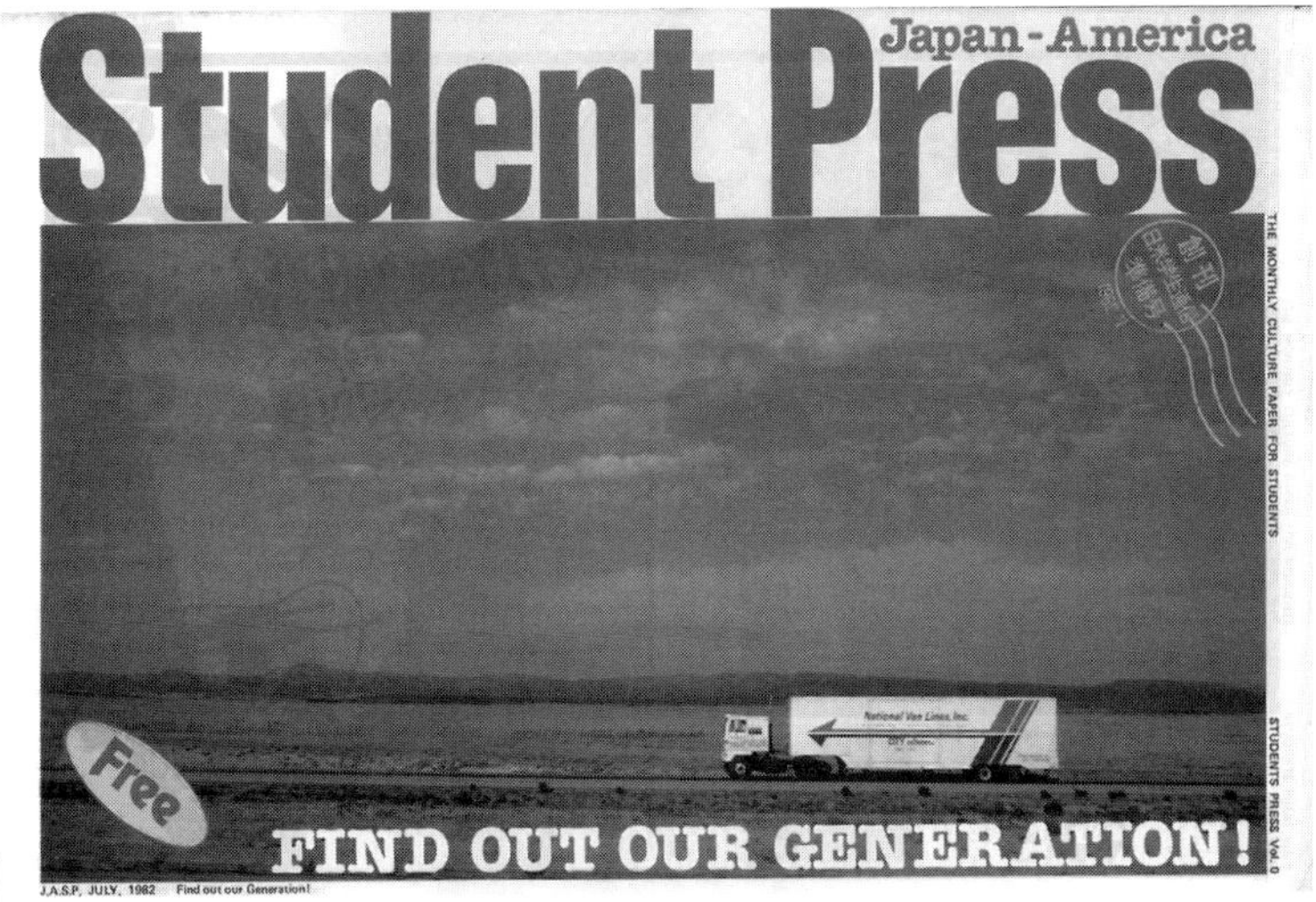

プへと成長していた。スタジオガレージにはのちにデジタルガレージ取締役副社長などを歴任する六彌太恭行が参画していたが、彼は長野県の白馬でレストランを経営しながらプロスキーヤーとして活躍していたという異色の顔を持っていた。小さいながらも、企画×クリエイティブ×マルチメディア制作という多面的な機能を持つ、20代の若者たちの、ロックバンドのような会社群が形成されつつあったのである。

売り上げも当時のお金で年間20億円という規模にまで伸びていた。大手企業の顧客も増え、日清食品のカップヌードル、トヨタ自動車、資生堂の若者向けブランドなども手がけた。「オノ・ヨーコとショーン・レノン」の共演でＡＤＣ賞を受賞したＫＤＤのキャンペーンのプロモーションを担当したりもした。

創業の地は、渋谷区富ヶ谷の代々木八幡駅前にある小さなスパゲティ専門店の車庫である。その車庫の奥にある日当たりのよくない小さな倉庫が最初の仕事場だった。それゆえに、ガレージカンパニーから世界に発展していこうという志を「From Garage」という名前に刻んだのだ。11年後のこの頃には富ヶ谷に隣接する代々木上原のビルにもオフィスを構えるほどに会社は成長した。

FROM GARAGE GROUP

有名アーティスト ハリー・ランバート氏に依頼したフロムガレージのロゴ。いまだ新鮮なデザインだ

マルチメディアの制作プロデュースで忙しく日米を飛び回っていた林は、音楽・VR・映像・CGなど、さまざまなクリエイターたちと出会う。当時のマシン性能の限界をアイデアやクリエイティブで埋めていった。そんな林の周囲にもインターネット・ビジネスにまつわるさまざまな情報や憶測が集まり出す。インターネットに関心を抱く企業の多くの目は、インターネットの接続事業そのものに向けられていた。実際、雨後の筍のように我先にとプロバイダービジネスへと走って行った。だが、伊藤と同様に、インターネットの本質、その可能性にことあるごとに思いを馳せ、そこで自分はいったい何をなすべきかを考え続けてきたマーケティングプランナー、マルチメディアプロデューサーとしての林の1994年の視線の向かう先は違った。すなわち、インターネット接続サービスはすぐにありふれたものとなって競争が激化し、その価値の優位性はたちまちに失せていくだろう。だがサイバースペースでは無数のWebサイトが生まれ続けていくはずだ。とすれば、このサイバースペース幼年期にあってはWebサイトの制作が最初の大きなビジネスとなり、その次にはWebサイトを利用するための検索サービスや、Webサイトを用いた広告や決済、その先ではEコマースが大きなビジネスとなるはずだと。

ちょうどこのころ、富ヶ谷の林のオフィスから数百メートルしか離れていない伊藤のオフィスでは、彼が創業したエコシスがＷｅｂサイトの構築をビジネスとすべく奮闘していた。会社のスタッフのほとんどがバイリンガルで、中核人材はアメリカンスクール時代のコンピュータクラブの後輩たちだった。伊藤がスタートさせたばかりの『富ヶ谷』というタイトルのＷｅｂサイトが、日本初の個人ホームページとしてメディアで大いに話題になっていた。また、ＨＴＭＬなどの知識や技術を持つエンジニアは当時の日本では本当に一握りであり、そのほとんどがエコシスに集結している状況だった。

サンフランシスコから帰国してからというもの、林と伊藤は頻繁に会っては、インターネットやコンピュータグラフィックといった、デジタルカルチャーの現状や未来について語り合うようになっていた。フロムガレージがＷｅｂサイト構築の業務を伊藤のエコシスに発注するようになるのは自然の流れだった。さまざまなクライアントからフロムガレー

日本初の個人ホームページ「富ヶ谷」。トップページには"You are a connection. We are one."のメッセージが刻まれていた

ジにはインターネットに関連した多くの案件が舞い込み始めていたし、営業力と企画力を備える林のフロムガレージと、多くの企業にとっていまだ未知の領域であったインターネットに関する技術と知識がある伊藤のエコシスが手を組めば、Ｗｅｂサイト構築をビジネスとして扱う企業がほとんど存在しなかった当時にあっては、まさに鬼に金棒だった。渋谷や原宿という都市の中心部から少しだけ外れた富ヶ谷という町で、双方の社員は互いのオフィスを自転車や徒歩で行き来しながら、新しく誕生したビジネス——Ｗｅｂサイトの制作に没頭した。

運命のマージ

１９９５年に入ると、両者の協業はＷｅｂサイト以外にも及んだ。日本で最初のインターネットカフェを、期間限定ながら、渋谷にオープンしたのも彼らだった。ＩＢＭが力を入れていたパソコン用ＯＳ「OS/2 Warp」のプロモーションのためのプロジェクトであった。

そんなふうに、フロムガレージとエコシスのコラボレーションが量的にも質的にも拡大し続けていたある日、伊藤がポツリとこんなことを口にした。

「林さん、これだったら会社をいっしょにしたほうがいいかもね」

同じことを林も心のどこかで思っていた。インターネット、そしてデジタルカルチャーが切り開いていくだろう大きな市場、未来を思えば、それは自然なことであり、運命的なことであるように感じられた。

この合併の話は、だがフロムガレージの社員にはなぜか歓迎されなかった。広告関連の仕事の売り上げはバブル崩壊後のご時世でありながらも右肩上がりであったし、一方、Webサイト制作の売り上げは本業に比して小さく、フロムガレージの主要な稼ぎ頭になるなどとは誰も考えもしなかったからである。社会的にもインターネットの本質はまだまだ理解されず、速度の速いパソコン通信と思っている人も多かった。そんなインターネットにビジネスの可能性などあるのかと、林の意図をいぶかしむのももっともだった。

だが、林と伊藤にははっきり見えていた。いま世界で起きていることは、産業革命にも比せられるべきパラダイムシフトであり、インターネットにこそ未来があると。

だからこそ林は、創業の役員たちを押し切る形の、合併への決断をした。

1995年8月。林と伊藤が共同創業者となり、株式会社デジタルガレージは誕生した。企業車庫で創業したベンチャー精神を忘れまいと、社名にガレージという言葉を残した。

コンセプトはコンテクストカンパニーとした。「コンテクスト」とは「背景、文脈、前後関係」といった意味であるが、事物単体よりも、事物と事物の出会いと思いも寄らぬ相互作用、そこから新しく紡がれる物語――そういったコンテクストこそがビジネスにおいてもより本質的な価値や意味を生み出すと考えたからである。現在もデジタルガレージの「存在意義」として、「持続可能な社会に向けた〝新しいコンテクスト〟をデザインし、テクノロジーで社会実装する」という言葉が掲げられている。

いまだ小さな小さな企業ではあったが、林も伊藤も社員たちも、時代のビッグウェイブにテイクオフした高揚感に包まれた。おそらく波のトップからの眺めは実に見事で爽快だったに違いない。

デジタルガレージ誕生を待ちかまえていたかのように、設立から3カ月後の11月23日、Microsoft Windows 95（日本語版）が発売された。秋葉原では深夜0時にもかかわらず、Windows 95をいち早く手に入れようと多くの人が電気店の前に長蛇の列をつくり、テレビ・新聞に大きく取り上げられるほどの騒ぎとなった。

Windows 95はユーザーインタフェースが大きく変わってグラフィカルになったことが

特徴だが、何よりもインターネットへの接続をOSの標準機能として搭載したことが革新的だった。インターネットのプロトコルであるTCP／IPを装備し、専用のブラウザ「Internet Explorer」が積まれていた。Windows 95さえあればインターネットにつながることができると、日本のみならず、世界中の人々の欲望はサイバースペースへと一気に駆り立てられたのである。

これが引き金となり、日本でもインターネットブームがわき起こる。この年のパソコンの出荷台数は570万台を超え、出荷金額も1兆円を上回り、翌1996年には753万台の出荷台数を記録する。Windows 95効果だった。これに伴い、インターネット接続業者、つまりインターネット・サービス・プロバイダが続々と生まれてはサービスを開始、インターネットは一挙に身近なものになっていった。

林と伊藤の予言通りだった。

生まれたばかりのデジタルガレージには、多くの企業からWebサイト構築にとどまらず、インターネットをめぐるさまざまな案件が続々と舞い込んできた。世界初の80カ国をつなぐサイバースペースのEXPO「Internet World Expo '96」の日本の技術HQを担当し、はたまたCSKの創業者でセガの会長だった大川功氏が提唱したインターネットで40カ国の子どもをつなぐ「ジュニア・サミット」や、長野オリンピックのIBMサイトへの技術協力もおこなうなど、インターネットの世界におけるデジタルガレージのプレゼンスは加速度的に高まっていった。

エコシスのオフィスにて。右はジョナとサイラス、左は当時の雑誌インタビューに答えるJoi

Scenes that remain in my mind

心象風景

玄関をおさえろ／アイボールと広告

そんな時、Ｊｏｉ がYahoo!のジェリー・ヤン氏のチームの話を持ってきて、サイラスたちが簡単な契約書で日本版のモックアップを作った……ポータルビジネスとインターネット広告の黎明期がはじまろうとしていた。

Yahoo!ジャパンをはじめようとしていた我々は、モックアップの日本版まで制作していたが、紆余曲折を経て、最終的にソフトバンクがパートナーになった。ジェリー・ヤン氏から、「迷惑をかけた。１％のストックオプションを出すよ」と言われたが、断った。そしてすぐに、ロボット型ポータルinfoseekの日本エントリーの契約をし、頭を切り替えた。彼らはすでに、メディアと広告のモデルで他のポータルに先駆けてバナー広告という、アイボール（見た人の数）で１ＰＶ（ページビュー）とする初期的なビジネスモデルのようなものを確立しようとしていた。

並行して、ソフトバンクは電通との合弁でサイバーコミュニケーションという広告レップを設立し、我々は想像以上の各社の近親憎悪をなんとか乗り越え、広告業界初の連合体で博報堂以下の、旭通信社、読売広告社、第一企画、アイアンドエス、徳間書店、そしてデジタルガレージでDAC（デジタル・アドバタイジング・コンソーシアム。現在は博報堂グループ傘下）を設立。代表取締役には私と、広告代理店サイドから2人が就任した。博報堂からやって来た矢嶋弘毅氏（現博報堂DYメディアパートナーズ社長）は、マーケティング局から得体のしれない〝ポータルビジネス〟という突然の人事で、足取りも重たそうに見えた（広告業界はマス4媒体が全盛の時代のなか、我々は、メディアの価値も定まっていないインターネット広告の明日を手探りで歩き始めた）。

そして、プロジェクトに関わった人たちのそれからの人生をインターネットの渦に呑み込んでいった

「ソフトバンク／Yahoo!／CCI」VS「DG／infoseek／DAC」

という体制で、広告メディアレップの2つの陣営に分かれて日本のポータル戦争の幕が切

られた（このタイミングでは、Yahoo!陣営もinfoseek陣営も、いずれも日本のＮｏ・１ポータルを目指していたと思う）。

そんな時、信じられないニュースが飛び込んできた。ディズニーがインフォシークを買収、日本事業を吸収、私とＪｏｉはこの事件でしばらくは、インフォシークジャパン（Ｊｏｉ）とデジタルガレージ（林）という別々の道を歩くことになった。

歴史に〝ｉｆ〟はないが……。

もしジェリー・ヤンがYahoo!ジャパンのパートナーをＤＧとして、また、インフォシークがディズニーに身売りされないでいたら、日本のポータルビジネスはまったく違う進化をしていたことだけは確かだ！

――林郁

日本経済新聞1996年11月27日掲載

インターネット広告

博報堂など参入

新会社で電通に追随

博報堂、旭通信社など大手広告会社五社とインターネット関連ベンチャーのデジタルガレージ（東京・渋谷、林郁、伊藤穰一代表取締役）は、インターネット専門の広告会社「デジタル・アドバタイジング・コンソーシアム」を設立する。インターネット広告の成長性を見込み、共同で市場開拓を急ぐ。ネット広告会社は七月に電通とソフトバンクが設立しており、これに対抗する勢力となりそうだ。

新会社は本社を東京・渋谷に置き、十二月二日に設立。資本金一億二千万円で博報堂三五%、旭通信社二〇%、デジタルガレージ一六%、読売広告社、第一企画、アイエンドエスが八%ずつ、残りを徳間書店グループが出資する。社長には矢島弘毅博報堂第二マーケティング局マーケティングディレクターが就き、旭通信社、デジタルガレージも代表取締役を出す。当初の社員は七人。

新会社はまず、デジタルガレージが運営するインターネット上の情報検索サービス、米インフォシーク（カリフォルニア州、ロビン・ジョンソン社長）の日本語版の広告を扱う。インフォシークは高速検索や、利用者のし好に合わせた広告表示などの技術に優れている。米インターネット広告の売上高ランキング（九六年一―六月）では、ネットスケープ・コミュニケーションズに次ぐ二位。

広告各社は同社の成長性に注目し、デジタルガレージの会社設立の呼び掛けに応じた。またすぐには黒字化が難しいため、リスクを分担して、効率的にネット広告のノウハウを蓄積する。電通をはじめ出資者以外の広告会社とも取引し、九七年十一月末までの初年度で三十―五十社の広告主企業と契約、五億円強の売り上げを目指す。二〇〇〇年には日本のインターネット広告の市場規模が三百億円になると予測し、うち百億円を握る計画。

「私が立花ハジメ氏へ依頼して作成してもらった初代ロゴ。クールだ！」（林）

D.A.Consortium

Yahoo!とインフォシーク

次なる大きなビジネスと考えていた検索サービスへと進出するチャンスを窺っていた伊藤と林がまず注目したのは、アメリカの検索サービスのYahoo!だった。1994年にスタンフォード大学の学生だったジェリー・ヤンとデビッド・ファイロが始めた、いわばインターネットの電話帳「Jerry's Guide to the World Wide Web」が元となったサービスで、ヤンとファイロは1995年3月にYahoo! Inc.を共同設立すると、本格的な事業として独自の検索サービスをスタートさせていた。林らは、自分たちと同様生まれたてのこの企業の将来性にいち早く着目した。世界中に無数に存在するホームページ、そのどれに自分が欲しい情報が掲載されているのか。ホームページへのリンクをジャンル別に整理し、見つけやすく分類したこのサイトは、インターネット時代には必須のものとなると彼らは見抜いた。日本においても同様なサービスはすぐにでも必要とされるだろう。さっそく林らはYahoo!日本語版サイトのモックアップを作り、ジェリー・ヤンに日本における協業を提案した。

だがYahoo!に着目していたのはデジタルガレージだけではなかった。ソフトバンクの孫正義もまた、大きな関心を持って見つめていた。伊藤のもとにソフトバンクから、Yahoo!の事業の将来性について話を聞きたいので役員会に来てほしいという依頼があったのである。

林とともにソフトバンクに出向いた伊藤は、経営陣を前にYahoo!について詳細な説明をおこなった。するとその数日後、なんと孫正義自身がプライベートジェットでアメリカに飛んでYahoo! Inc.に接触、資本業務提携に向けて直接交渉を始めてしまった。その結果、Yahoo! Inc.とソフトバンクは翌1996年1月、日本法人を合弁で設立することになるのである。

この成り行きに林たちは激しく落胆した。自分たちが誰よりも早く注目し、その可能性を評価し、日本語サービスの立ち上げを提案したにもかかわらず、鳶に油揚をさらわれるような結末になったことに、だれもがショックを受けた。

後日、Yahoo! Inc.より、日本法人の株の1%をデジタルガレージに譲りたいという申し出があった。誰よりも早く自分たちを認めて声をかけてくれたデジタルガレージであったのに、その恩を仇で返すようなソフトバンクとの提携にYahoo!側は罪の意識を抱いたのだろうか。だが、林と伊藤はその申し出を一蹴した。矜持が許さなかったのだ。

そのYahoo! JAPANがサービスをスタートさせた1996年4月から間もないころだった。伊藤の知人から、先進的なロボット型検索の技術を有するインフォシーク社の日本展開を手伝ってもらえないだろうかという話が飛び込んできた。Yahoo!に対抗できる検索サービスとしてにわかに世界の注目を浴びていたのがインフォシークであり、伊藤もまた大いに気になっていた企業だった。

人間が手作業でWebサイトの情報を集め、索引化していくディレクトリ型のYahoo!と異なり、ロボット型検索ではスパイダーと呼ばれるソフトウェアが広大なサイバースペースを巡回し、自動的にWebサイトのデータベースを作っていく。当然、ロボット型のほうが多くのWebサイトをスピーディーに見つけ出すことができる。すなわち、それがインフォシークの強みであり、検索サービスの未来を指し示すものだった。デジタルガレージにとっては願ってもない申し出だった。

事業提携を結んだデジタルガレージは、Yahoo!へのリベンジと燃えるエンジニアたちの努力もあって、なんと、Yahoo! JAPANのスタートから遅れることわずか数カ月で、インフォシーク日本語版のベータ版サイトを立ち上げてしまった。

インフォシーク日本語版の収益化に向けた準備も林は進めていった。デジタルメディアを専門に扱うコンソーシアム型の広告代理店、D.A.Consortium（デジタル・アドバタイジング・コンソーシアム　略称＝DAC）の設立である。DACに名を連ねたのは博報堂、旭通信社（現ADK）、読売広告社、第一企画（現ADK）、アイアンドエスといった大手広告代理店であり、伊藤と林の説得が実った結果だった。DACは日本で初めてのコンソーシアム法人として、インターネット広告レップ事業を開始したのである。

DACには大きな目的があった。それはインフォ

当時のインフォシークのロゴと、「インフォシーク日本語サービス」業務開始時の記者発表会風景

シーク日本語版を実験台として用い、生まれたばかりのインターネット広告とは何かをＤＡＣに参加する企業に対して啓蒙し、ともに市場を開拓していくことだった。林たちは並行してインターネット広告推進協会（現日本インタラクティブ広告協会）の前身となる日本インタラクティブ広告推進協議会発起人のメンバーとなり、広告主協会の協力を得て、バナー広告の実証実験もおこなうなど、新たな広告手法への挑戦を果敢に続けていった。

ジャンクション

１９９７年には、デジタルガレージは、インフォシーク社の検索エンジンを基にイントラネット内高速検索を可能にした「Ultraseek Server（ウルトラシーク・サーバー）」日本語版を開発、発売。すると、多くの企業がこれを導入し、インフォシークの事業はあらゆる面で順調に成長し、広告マーケティングと並ぶデジタルガレージの収益の柱となっていった。

また、タワーレコードと業務提携、ホームページ制作のみならず、翌年には日本で最初のオンラインＣＤショップを誕生させた。15万タイトルのＣＤの検索からクレジットカード決済までが、すべてＷｅｂ上で完結するものだった。

だが、インターネットの普及はまだまだ始まったばかり。１９９７年春に日経マーケット・アクセスによって行われた第１回インターネット普及率調査では、インターネットという言葉を聞いたことがある人は95％にのぼったにもかかわらず、過去１カ月以内にインターネットを利用したことがあるのは５・４％に過ぎなかった。一方で、インターネットでホームページを閲覧するなどして利用したいと思っている人は10％だった。スマホでインターネットに接続するのが当たり前の現在にあっては、信じられないほど低い数字に思われるかもしれないが、それまで地上に存在しなかったまったく新しい通信技術を人々が実際に手にしていくスピードとしては、これは驚くべき高速なのではないだろうか。なにせ、ＩＴ元年の１９９４年からまだ3年しか経っていないのだ。

そんなふうに急速に増殖するサイバースペースとマーケットに林と伊藤らは大きな手ごたえを感じ、ビジネスはトントン拍子に拡大していった。

そして事件は起きた。１９９８年の秋のことだった。

アメリカのインフォシーク社に買収話がもちあがったのである。名乗りを上げたのはディズニー社だった。同年11月、ディズニー社はインフォシーク社の株式の40％を取得した。デジタルガレージに激震が走った。契約上、デジタルガレージのインフォシーク事業もまた買収の対象となるからだ。それはまかり間違えばデジタルガレージが分裂に至ることを意味した。

インフォシーク事業部と、広告プロモーションを扱う事業部との間に、少しずつ齟齬が生まれていき、それはやがて林と伊藤という二人の共同創設者の関係にも影を落とした。ディズニー社はデジタルガレージのインフォシーク事業を買収する条件として、伊藤が買収後も事業にあたることを要求した。インフォシーク社の完全な買収を目論むディズニー社はさらに、デジタルガレージ全体を傘下に収めてもよいという提案をしてきた。つまり、林がデジタルガレージを売却するというなら買い取るというのである。

林は二者択一を迫られた。一つは、インフォシーク事業を手放すこと。だが、それではデジタルガレージの収益の大きな柱を失うことになってしまう。もう一つは、デジタルガレージ全体をディズニー社に売却すること。そうすれば創業者として少なからぬ売却益が得られるとともに、巨大なディズニー社傘下での安定した身分が得られる。だが、その身分とはいわゆる雇われ社長であり、フロムガレージを立ち上げてからの15年間を走り続けてきたその原動力となった自由や冒険の感覚とは対極にあるものだ。

林は悩み抜いた。これまでの生き方を振り返り、そしてこれからの生き方を想い描いた。

自分はどこへ向かえばいいのか。何を大切にすればいいのか。

ディズニー社は林に回答期限を切った。その期限前夜まで、林の懊悩は続いた。

1998年10月9日。林の腹は決まった。夢や苦悩や喜びや落胆や希望の歴史そのものの濃密な時間と、多くの人間たちとの友情とのアマルガム合金のような、何ものにも代えがたい愛しいデジタルガレージを他人に渡すことはできない。林は巨大な傘の下の安寧よりも、嵐の中にいることのほうを選んだ。

1999年6月。ディズニー社は正式にインフォシーク社を買収し、同時にインフォシーク社はデジタルガレージのインフォシーク事業部を20名の社員とともに買収、完全子会社とした。新会社の会長には伊藤が就任し、社長には日銀からデジタルガレージに入社して副社長を務めていた中村隆夫（現 第二東京弁護士会所属）が就いた。

こうしてデジタルガレージの共同創設者の二人は、ひとまず別々の道を歩み始めることとなった。

だがその余波は思いのほか大きかった。インフォシーク事業を切り離したことに対して、出資者の中から株式の買い取り請求が起きたのだ。インフォシーク事業に期待して出資したのだから、そのインフォシーク事業が消失した以上、デジタルガレージの株式を持ち続ける理由はない、ゆえに買い取って欲しいというわけである。投資契約で買取請求権を与えている以上、要請に従うしかない。インフォシーク事業を有しないデジタルガレージであっても、我々は必ずや大きな成功を勝ち取るという自信に溢れていた林にとって実に悔しいことではあったが、なんとか資金を工面して株式を買い取った。

ここまでが序曲だ。林はそう考えた。その後長く副社長を務める六彌太、デジタルマーケティング事業のCTOにはサイラス、技術担当にはウルトラシークを開発したスティーブン・ライフが、そして、前身のフロムガレージを中心とした多くの仲間がここに残った。これから本当の幕が上がるのだ。

96年3月、富ヶ谷会議室　初期のデジタルガレージ。日銀から中村隆夫君が入社して、それだけで日経新聞の記事になった。株主総会のため無理してネクタイをしているのが微笑ましい

Scenes that remain in my mind

心象風景　バッドニュース――生まれる不協和音

✻Forked Road／人生最大の意思決定

すでに記したように、インフォシークの検索事業がなんとか軌道に乗りかけたタイミングで、インフォシークがディズニーに身売りを決定したという驚天動地のニュースが入ってきた……。しばらくして、日本事業のバイバックのオファーが来た。この内には、デジタルガレージのポータル事業部以外のすべての事業も含まれていた。

心の中で何度もこんなことを繰り返し考えていた……。

「すでに、ポータル事業以外のビジネスも少し方向性は見えてきたけれど、ポータル事業を中核に、広告事業でマネタイズするというビジネスモデルは一度バラバラにしないといけない」

「また、株主の銀行系のファンドは個人保証まで要求していたし、何よりポータル事業を切り離したデジタルガレージが今後もワークするのか？」

「やはり、林、伊藤ではじめた会社こそがデジタルガレージだ」

「でも、今回のポータル事業の売却は海の向こうの赤の他人が決めたことだ……」

「自分がこれまで創ってきた事業を売って、米国企業の契約社長になって、はたしてそれが自分のベストな意思決定なんだろうか？」

大学卒業後、初めて創業したフロムガレージのビジネスの思い出や、これからの人生や、そして、Joiとのこと、従業員、ステークホルダーの株主の方々、頭の中でこれまでのことが走馬灯のように回っていた。

人生最大の意思決定は、一晩中考えてこんな結論に至った。

「デジタルガレージは我々が創ってきた会社だ。インフォシーク事業部だけ売却して、且つ、一からデジタルガレージ第2幕をはじめよう。そうだ、そもそも主体はデジタルガレージであり、人生の主語は私自身であるべきだ」

もう迷いはなかった。

こうして、私とJoiはしばらく別々の道を歩くことになる。

Joiは株式会社インフォシークジャパンの会長として、私はデジタルガレージの社長として……。デジタルガレージが7億円で売却したインフォシークジャパンは、後にディズニーが約90億円で楽天に売却して大きなニュースになった。
この意思決定のあと、一部の投資家から買い取り請求を受けて、個人としてさらに借金を重ねた苦い経験で、日本のベンチャー投資の矛盾や、エコシステムの未熟な領域を身をもって知った。
これらの経験が、以降の〝スタートアップインキュベーション〟のプリンシプルにもなったように思う。

"Tomorrow is another day." 昨日とは違う、新たな挑戦の日がはじまった。

――林 郁

Ｅコマースの福音

１９９９年。林はインフォシーク事業を失ったことで落ち込んだ売り上げを回復させるとともに、デジタルガレージの未来を決定づけるだろう戦略として、Ｅコマースのプロジェクトを加速させる。インターネットのビジネスでは広告と決済が鍵を握るという自らの直感を信じる林は、まずは決済事業の構築に取りかかった。折しもＮＴＴドコモが携帯電話でインターネットに接続できる「ｉモード」サービスをこの年の２月から開始。マイクロソフトはＩＥ５・０をリリースし、規制緩和によるオンライントレードサービスの登場が話題となり、Yahoo!オークションは９月からのスタートを発表していた。まさにインターネットのコモディティ化が始まろうとしていた。

林はすでに大手の独立系システムベンダーである東洋情報システムと資本業務提携を結び、ＥＣプラットフォームの共同開発をスタートさせていた。この電子商取引システムが完成すると、新たなショッピングスタイルのショウケースとしての役目を果たすべく、エンターテイメント情報とＥコマースを組み合わせたサイト「WebNation」を10月に立ち上げた。音楽ソフト流通のライラック商事およびヤマト運輸と提携した、約30万タイトルのCD、ビデオ、DVDを販売するショッピング・サイトである。アーティスト名やタイトル、出演者、監督名などから検索ができ、在庫POSシステムとの連携により、検索結果には「在庫あります」「在庫が希少です」といった在庫状況も表示される。配送はヤマト運輸との連携により2時間単位で配達日時が指定でき、トラッキングシステムで配送状況を知ることができる。クレジットカードによる決済を含むこの一連の流れがすべてWeb上で完結できた。現在の私たちが慣れ親しんでいるオンラインショッピングの姿がすでにここにある。デジタルガレージの先進性と優れた開発力を、この「WebNation」はまざまざと見せつけてくれたのである。

並行するように、コンビニでの決済サービスへの取り組みも進めた。提携先の候補に選んだのはローソンだった。

このとき、店舗数およそ7000のローソンは、店舗数8000を超える業界1位のセブン-イレブン・ジャパンを激しく追い上げていた。林たちがそんなローソンに着目した最大の理由が、すでに全店舗に導入されていたマルチメディア端末「Loppi」の存在だった。コンビニを物販にとどまらない、インターネットと接続した端末を設置することで情報発信のハブにしたいという目的から開発・導入された「Loppi」は、コンサートなどのチケット販売や任天堂のゲーム配信のために使われていた。デジタルガレージの提案は、この「Loppi」をオンラインショッピングの代金決済に利用できるようにしようというものだった。

一方、ローソンサイドは、当時経営危機が叫ばれていたダイエーの優良子会社として、株式売却に向けた新たなパートナー戦略や、自社のIPOストーリー作りに迫られていた。そのような環境下で、台頭するインターネットとEビジネス「Loppi」の事業戦略が経営課題となりつつあった。そんな折、古くからの知り合いである博報堂鈴木浩一部長(現DGコミュニケーションズ社長)から、ローソンの〝次世代戦略と広告〟のプレゼンテーション協力の依頼がデジタルガレージにあった。「Loppi」を中心とした〝Eビジネス戦略〟の領域提案は、広告代理店のビジネスを超えていたからだった。

林は伊藤とともにローソン社長の藤原謙次のもとを訪れ、Eビジネスの未来を説いた。これからはEコマース市場の急拡大・急成長が確実であること、クレジットカードを持たない若者にとってはオンラインショッピングの代金をコンビニで支払うことが当たり前の世の中になるだろうということ。それらを、さまざまな例証をあげて説明をすると、ローソン側はインターネットの未来のビジョンを語り続けるデジタルガレージの姿勢に打たれ、次第に彼らの提案を真剣に検討する方向へと舵が切られた。

１９９９年7月。デジタルガレージとローソンは電子商取引事業において提携することを記者発表した。その内容は、全国のローソンチェーン店で商品の受け取りと代金決済ができるシステム「LAWSON DIGITAL STATION」を共同で開発し、事業への参加企業を募っていくというものだった。インターネットに接続した「Loppi」をEコマースの端末として最大利用することがその目的だ。

翌２０００年2月、両者の共同開発は、コンビニ店舗を利用した日本で最初の決済・物流のECプラットフォーム「econtext」として結実する。「econtext」は、オンラインで購入した商品の支払いが、全国７３００のローソン店舗で現金決済できるというシステムだ。ユーザーはショッピング・サイトで「コンビニ決済」が選択でき、「受付番号」がメールで送られる。その後、ローソン店舗の「Loppi」で受付番号を入力して申込券を入手。

レジに提出して精算するという仕組みだ。商品は店舗での支払いが確認され次第発送され、注文の明細や支払い情報は、「econtext」のサイトでオンライン確認ができる。まずは、前年に立ち上げたばかりの「WebNation」で「econtext」が採用されることとなった。

サービス開始後、中身はさらに拡充されて、注文した品は24時間好きなときにローソン店頭で受け取れるようにもなった。受け取り店舗もネット上から指定でき、ひとり暮らしの若者には便利なシステムだった。これはＷｅｂサイトから実店舗への送客を促すＯ２Ｏ(Online to Offline)の先駆けでもあった。

この「econtext」事業は、２０００年5月に「イーコンテクスト」として別会社化される。デジタルガレージ、ローソンとともに、ローソンに資本参加した三菱商事、そして東洋情報システムが株主として参加するＪＶ事業として、いわば格上げされたのだ。コンビニ決済のシステムを、ローソン以外のコンビニに広げていくことがその目的だった。その後、「イーコンテクスト」はコンビニ決済やキャリア決済など、複数の決済方法を一括導入できるサービスとして、大手企業にも導入されるなど順調に成長を続け、現在では年間１兆円の決済実績を誇るまでになっている。

そんなふうにデジタルガレージのEコマースをめぐる挑戦が果敢に続けられた2000年には、当時オンライン書店としてアメリカで1000万人の会員を抱えていたAmazon.comが11月に日本語サイトを開設し、また、Google日本語版もスタートした。サイバースペースにおけるビジネスがどんどん加速、加熱していった年でもあった。

デジタルガレージとカカクコム、
それぞれの株式公開広告

Scenes that remain in my mind

心象風景

インターネット決済事業とフィンテックシフト ベリトランスのグループ加入

インターネット黎明期に、日本で最初のコンビニエンスストア決済をベースとしたイーコンテクストを設立したことは前述したが、2012年には、カード決済をスタートしたベリトランスがグループに加入する。BEENOSの佐藤輝英さん（現BEENEXTファウンダー）を介して、当時の社長沖田貴史さん（現ナッジ社長）が会った翌週に突然SBI北尾社長を伴って来社した。北尾氏は挨拶もそこそこに切りだした。「来週までに意思決定してもらえるんだったら、ベリトランスの過半数を売却してもいい」という我々としては過去最高の金額のM&Aのオファーだった。

反射的に、「100%売却してもらえるんだったら検討する」と回答した。北尾氏は、少しの付帯条件をつけて、「正式に検討してくれるならば、ではそれで進めよう」とその場で大筋の方向性に合意した。それから慌ただしく、経営管理本部のメンバーと夜を徹して役員会の資料作りになったのを記憶している（その場に同席した沖田さんは後日、この時のことを戦国時代の武将同士の交渉のようだったと少し興奮しながら話していたのを覚えている。沖田さんとは2013年、econtext Asiaとして日本企業2番目の香港IPOを経験した。香港の民主化運動の激化や一国二制度の矛盾は、すでにこの時点で予兆があったように思う。その後、香港の雨傘革命等の影響もあり、意志をもって非公開化した)。

イーコンテクスト設立から20年を経て、イーコンテクストとベリトランスは、2021年に経営統合し、DGFTの名のもと、日本を代表するPSP(ペイメントサービスプロバイダー)として国の重要インフラ指定企業に成長している。現在、年間6億件の決済を処理する企業にまで発展した。主要カード会社や現金決済、CVS決済はもとより、ビットコイン決済、QRコード決済、ありとあらゆる決済手段を装備した一大決済プラットフォーマーとなった。また、POSの大手の東芝テック、エアラインキャリアANAとの合弁会社も設立し、国のデジタル化に伴うレギュレーションの変更やユーザーのデバイス性能の進化に伴い、今後はBaaS(銀行決済)や生体認証決済、非接触型決済や、さらにPSPネットワークをベースとした、次世代型統合決済インフラの提供や、最終的にはマイナンバーとのシームレスな連携など、対応するべき社会的テーマは多い。

2021年からデジタルガレージグループとして我々は、〝FTシフト〟をテーマとし、決済データと各セグメントが共振・協業しながら次世代ＤＸビジネスをインキュベートするフェーズに入ろうとしている。多少の摩擦を生みながらも、規制の多くが他の先進国のように、アップグレード（またはリセット）されていくのは、デジタル社会の避けて通れないグローバルな潮流だと思う。デジタル庁の誕生で本格的な〝ＤＸ日本〟への脱皮のため、決済という〝縁の下の力持ち〟が果たすフィンテックの役割はさらに大きな存在になっていくだろう。

――林郁

ベリトランスの加入で、相互シナジーで完成する日本型ＰＳＰ

２０１２年３月29日、ＳＢＩベリトランスを買収することを発表した。買収額は１３０億円。デジタルガレージが同社を傘下におさめることで、市場上位同士の合流が実現し、インターネット決済事業市場における大手のポジションを確固たるものとした。

当時の報道では、ネット通販や音楽・動画などデジタルコンテンツ販売市場が拡大する中、ネット決済の需要も伸びるとみて事業基盤を強化するとされていたが、それ以上の進展を目指していた。

インターネット利用者が急増した１９９７年、アメリカの電子決済サービス企業CyberCash,Inc.の日本法人として設立されたのがベリトランスの前身だ。当時「楽天市場」が誕生したばかりで、Ｅコマースはまだまだ未知の分野だったが、その将来性を予測し、事業者・消費者双方にとって安全・安心で使いやすい決済サービスの提供にチャレンジしていた。

当社はもともと、カード決済に強みがあり、各カード会社と拡張性のあるシステムで接続されていた。それ以外の決済手段との適応に関しても十分なシステムで、現在はオラクルと連携して日本の金融系システムとして、初めて完全な二重化を実現している。

一方イーコンテクストは、〝コンビニ決済〟をルーツにもつPSPとして、ローソンからはじまり、ファミリーマート、セブン-イレブン、セイコーマート他、すべてのコンビニ決済ネットワークの拡充と並行して、PSPでは独自色が強い、銀行決済や送金サービスのメニューを増やしていた。2011年には資金移動業者の登録を行い、翌年2012年CashPostサービスの展開を開始した。カード決済に強みを持つベリトランスと、コンビニからの現金決済に強みを持つイーコンテクストのハイブリッドは、相互補完する形で日本型PSPの完成形となったのだ。

象徴的な出来事を2004年から遡ってみる。

イーコンテクスト、ベリトランスともにEコマースの第一次成長期の波に乗り、それぞれが大証へラクレスに株式上場を果たし、株式上場を足掛かりに、ECマーケットでの知名度をさらに上げ、数多くの加盟店及びパートナー企業に支持をされ順調に事業拡大を行っていった。

海外展開については2008年頃にスタートしている。

当時ベリトランスは中国銀聯本社との業務提携を行い、China Union Payネットワークにクロスボーダーで直接接続、日本初となるオンライン銀聯決済サービスを開始した。２０１２年には、インドネシア財閥ミッドプラザグループと資本業務提携を行い、現地に合弁会社PT Midtrans（現在GoTo Groupの金融事業）を設立、インドネシア内で決済サービスを開始した。

また、デジタルガレージグループの決済事業を統括するヘッドクォーターとして中間持株会社、econtext Asia Limitedを香港で設立、２０１３年には香港証券取引所に上場した（２０１５年に非公開化）。上海に現地決済会社との合弁会社を設立、インドの決済会社Citrus社に出資するなどアジア全域での決済プラットフォームの構築を目指し事業を拡大させていった。

POSとPSPの融合／レジ（リアル）とインターネット決済（サイバー）の融合

Eコマース市場で確固たる大手ポジションを確立したこの頃から、リアル店舗における対面決済市場への参入を本格化させる。店舗の決済を含む電子決済市場は、約90兆円と言われる大市場である。

小売流通業界はポイントやアプリ等による顧客エンゲージメントに躍起となり、リアル店舗とＥコマースの並行運営が当たり前になり、その決済購買データの分析によるマーケティングも常識となる中、企業のＣＲＭ支援やデジタルマーケティング事業も本業のひとつであるデジタルガレージの参入は、いわば必然だった。

２０１６年、ＰＯＳシェア世界最大手の東芝テックと合弁会社ＴＤペイメントを設立、同社のＰＯＳシステムを利用する小売事業者に決済サービスの提供を開始した。東芝テックはＰＯＳの国内シェア50％超と言われる圧倒的なリーディングカンパニーで、同社のイノベーションは社会を変える可能性を秘めていた。

今では店舗のレジで利用できる電子決済の手段は、クレジットカード以外にも各種の電子マネーやＱＲコード決済、訪日外国人向け決済、ビットコイン決済など多種多様で、今後も増え続けて行くことが予想された。これらには、デジタルガレージがＥコマースで展開しているマルチ決済プラットフォームが適用できる。

また、デジタル化に伴い、生体認証決済や、店舗内センシングと無人レジ、価格のダイナミックプライシング表示など小売店舗に革新が起きている。さらに、新型コロナウイルスによる生活変化の影響も受け、テイクアウトやデリバリーの事前オーダーと事前決済、百貨店のオンライン接客販売など、リアル店舗の形態にEコマースのスキームが急速に浸透し、ショッピングの在り方は激変している。

インターネット決済でEコマース市場の大手となったデジタルガレージと、リアルのPOSレジ最大手である東芝テックは、違うトンネルを掘り続けてこの時代に合流したと言える組み合わせだ。

日本の津々浦々に導入された東芝テックのPOSは、膨大な消費購買を処理しているし、デジタルガレージのEコマースを中心とした決済取扱高も2021年現在で3兆円を超えている。生活者が、リアルとサイバーの垣根なく24時間365日ショッピングができるようになったことで、両社が扱う決済購買データは天文学的な量となっている。これらに加え、店舗センシングによる行動データ、商品データ、スマートフォンによる位置情報からオープンデータに至るまで、網羅的に分析するデータマーケティングを進めるデジタルガレージと東芝テックの提携により、より利便性の高いきめ細かいサービスの開発も進めている。今後も変化著しい現代社会に貢献する多くの協業成果が生まれて行くだろう。

また同年、マイレージ等による顧客エンゲージメントに注力するため、決済ビジネスに参入したANAグループとも合弁会社ANA Digital Gateを設立し、空港を起点としたリアル店舗向け決済サービスを開始。旅行や移動におけるキャッシュレス化やMaaS（モビリティ・アズ・ア・サービス）文脈の提携を開始した。

ＱＲコード決済の拡大「クラウドペイ」提供開始

２０１８年、経済産業省は、世界でも低い水準にあったキャッシュレスの向上を目指し、「２０２５年までにキャッシュレス決済比率40％」を目標に掲げたビジョンを策定した。こうした動きを受けてキャッシュレス化の動きはスピードを増し、各ソリューションベンダーは消費者に対してキャッシュレスに誘導するさまざまな施策を始めた。その一方で、中小の小売店舗はおいてきぼりになっていた。

そこに通信キャリアやＥコマース大手をはじめさまざまなプレイヤーが雨後の筍のようにＱＲコード決済に参入、爆発的な普及が始まったが、そこでレジ前は各社のＱＲコードまみれになった。

この状態を解消するためデジタルガレージは〝統一型ＱＲコード決済「クラウドペイ」〟を開発した。ひとつのＱＲコードだけを店頭に設置すれば複数の決済手段を利用できるサービスで、国内大手及び訪日中国人向けの各ＱＲコード決済を実装している。今後も大手サービスを網羅的に追加接続するが、２０２１年現在ですでに約40万店が導入している。レジ周りのスペースを取ることもなく、消費者を迷わせることもない、レジオペレーション現場と消費者双方のニーズを満たす必然的なサービスだ。

「クラウドペイ」はこれまで、ｄ払い®、au PAY、LINE Pay、Alipay、AlipayHK、Kakaopay、WeChat Payへの接続を完了しており、今後も国内外の決済サービスへの対応、接続を進めている。

また、さらなる普及、消費者の利便性向上のため、自動機への展開も開始した。今後ゲームセンターや駐車場の精算機、自動販売機などで利用できるようになる。ＣＰＭ形式の場合は機器全体の入れ替えが必要になるが、ＭＰＭ方式の「クラウドペイ」なら、すでに設置している機器にも簡単に低コストで導入できるため活用しやすく、無人店舗などさまざまな用途にも利用できる。

このように、クレジットカード決済に加え、コンビ

Cloud Pay
Powered by Digital Garage

統一型QRコード決済「クラウドペイ」。このネーミングは林の発案で事業開始はるか以前から商標登録していた

ニや銀行、電子マネーのほか、越境ＥＣを対象とした国際決済、政府のキャッシュレス化推進に伴い、公金領域の電子決済の利用拡大にも注力するなど、先進的な機能を拡充し、「オンライン総合決済サービスプロバイダー」としてデジタルガレージは右肩上がりの成長を続けてきた。

その後、対面決済領域への展開など成長を続け２０２０年の決済取扱高は３兆円、件数も６・２億件を数えるようになった。

そして、２０２１年4月1日、ベリトランスの商号を、ＤＧフィナンシャルテクノロジーに変更、イーコンテクストの事業を吸収し、決済とデータを融合したデジタルガレージグループのフィンテックシフト戦略第一弾とした。

フィナンシャルテクノロジーの未来／フィンテックシフト

グループの決済事業は、インターネット黎明期より約20年間にわたり、さまざまな「国内初」となる取り組みに挑戦しながら、非対面・対面領域の双方へ決済インフラを提供し

veritrans
econtext

2021年、DGFT（DGフィナンシャルテクノロジー）に商号変更。イーコンテクストとベリトランスを統合

てきた。ここ数年、顔認証決済技術への決済基盤提供や、コロナ禍で注目を集めた外食産業によるモバイルオーダーに向けた取り組み、税金や手数料収納に代表される行政サービスとの連動等、より便利で安心・安全な決済手法を提供してきている。

新たなサービスやテクノロジーの進化がめざましいフィンテック分野では、さまざまな分野での活用がかつてないスピードで進んでいる。経済産業省が策定した「キャッシュレス・ビジョン」をもとに、国をあげてのさまざまな施策が実行されている。また、日本経済再生本部が定めた成長戦略にも引き続きフィンテック分野が取り上げられており、決済インフラの見直しやキャッシュレスの環境整備に向け、制度改革や法整備が予定されている。

現在は、グループ横断での展開を見据え、ＦＴ事業が有する強固な決済基盤の活用や、フィンテック関連業界の数多くのパートナー企業との協業を通じ、キャッシュレス立国日本を支えていく付加価値事業の創出をリードしている。とりわけ、ＥＳＧと決済の融合を目指すプロジェクトや、DG Lab（五章で詳述）が研究開発を進める暗号資産分野と融合した次世代のグローバル金融サービスは、新たなフィンテックのあり方を示す上で重要なプロジェクトと位置付けている。

より戦略的にグループ内のＭＴ（マーケティングテクノロジー）、ＩＴ（インキュベーションテクノロジー）、ＬＴＩ（ロングタームインキュベーション）セグメントとの融合を図っている。

〝決済とデータ〟を融合した新戦略事業群としては、〝暗号通貨事業〟に続く〝ＤＸ時代の日本〟を牽引する事業で、さらに、世の中の役に立つ決済プラットフォーマーへと進化しようとしている。

また、現在の決済事業のみならずデータを活用した次世代事業への進化「ＤＧフィンテックシフト」の加速により、持続可能な社会の発展に貢献するインフラ事業となることを目指している。

２０２１年より、〝ＤＧフィンテックシフト〟というスローガンに、具体的なコーポレートアクションを次々に実行に移している。

第１弾は、〝ＤＧＦＴ〟の始動である。

20年来それぞれのブランド、社名でおこなっていたサービスを統合した。

第2弾は〝暗号通貨事業〟への参入である。

DG Labのバックアップを受け、内閣府フィンテックサンドボックス1号プロジェクトとして、2年にわたりPOCを行い、ベースのテクノロジーであるブロックチェーンをBlockstream社と連携しながら、準備を開始した。金融庁のライセンスとしては、B向けは初めての許可になった。日本の国益に資する〝暗号通貨事業〟として、Crypto Garageが世界中のクリプト事業者を繋いでいく。

また、第3弾／第4弾として、それぞれの領域のフィンテックパートナーとの協業提携を準備している。新法人での踊契三、篠寛両代表取締役体制で、日本のDX化を決済から支える今後のDGFTに注目したい。

DX時代の日本を牽引すべく、DGフィンテックシフトを加速する

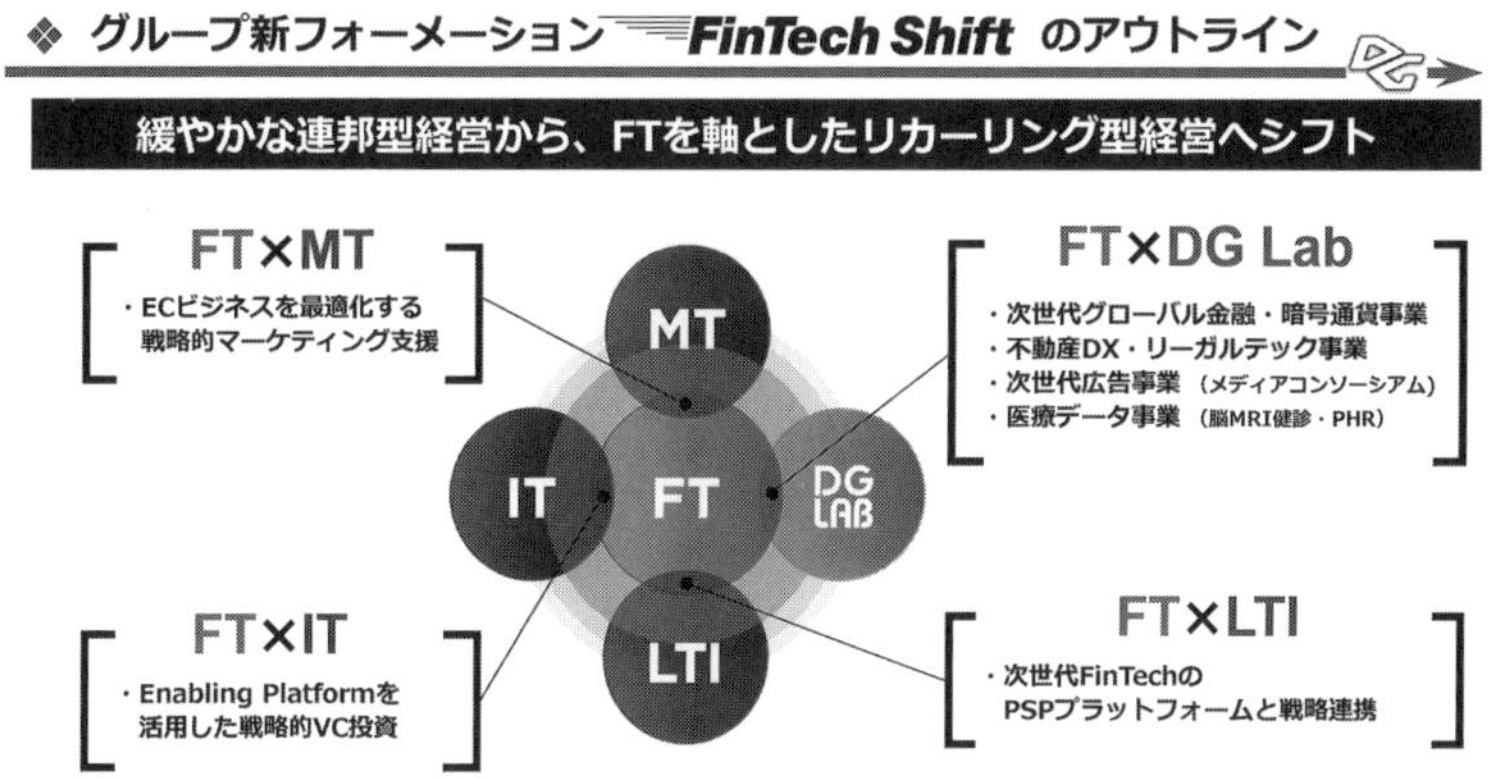
❖ グループ新フォーメーション FinTech Shift のアウトライン
緩やかな連邦型経営から、FTを軸としたリカーリング型経営へシフト
FT×MT
・ECビジネスを最適化する戦略的マーケティング支援
FT×DG Lab
・次世代グローバル金融・暗号通貨事業
・不動産DX・リーガルテック事業
・次世代広告事業（メディアコンソーシアム）
・医療データ事業（脳MRI健診・PHR）
MT
IT
FT
DG LAB
LTI
FT×IT
・Enabling Platformを活用した戦略的VC投資
FT×LTI
・次世代FinTechのPSPプラットフォームと戦略連携

CHAPTER 2

Eコマースとマーケティング

日本の EC ビジネスの夜明けと DG IPO

Scenes that remain in my mind
心象風景

日本型ＥＣビジネスの挑戦
決済プラットフォームとＥＣエンジン第一世代

今日を生きる皆さんは笑うかもしれないが、この頃の僕たちは本気でAmazonと闘おうとしていた。日本で最初のタワーレコードのＥＣサイトの成功に気をよくして、「WebNation」というサービスを立ち上げた。

資本提携した東洋情報システム（現ＴＩＳ）と一緒にシステムを構築し、決済はＪＣＢカード、物流はヤマト運輸と提携し、ＣＤ・本のデータベースと接続して、ご丁寧にまだはじまったばかりのコンビニ決済までを繋いだ。

そう、日本のＥコマースが立ち上がりはじめたばかりだった。

支払いにいちいちクレジットカード情報を毎回入れないと決済できないというありさまで、いまの完成形Ｅコマースからすると、この頃のＥコマースサイトは、セキュリティもユーザビリティも含めて、随分と牧歌的な匂いがするＥコマースだった(おまけにセッションはプツンとよく切れた)。

当時ローソンの社長だった藤原謙次さんに、公開直前のローソンのEビジネスのアドバイザーとしてお会いした。その後ローソン、三菱商事、東洋情報システムと合弁で作ったEC決済プラットフォーム〝イーコンテクスト〟は、現在カード決済のパイオニア〝ベリトランス〟と合併し、DGFTとして年間3兆円の決済を24・365で処理している。まさに、隔世の感がある（この時の藤原さんとの出会いは、デジタルガレージ／カカクコムの社外役員として在任されていた期間を経て、今日までつながっている。ダイエーグループの中核メンバーとして流通革命のファーストペンギンの経験をもつ経営の先輩との、もう一つのかけがえのない出会いであった）。

デジタルガレージ内のポータルと広告事業の分断を経て、別々の道を行くと決めてからは、背水の陣の私は電光石火で行動した。野村證券から徳山涼平氏をCFOに、NTT出身、ネットスケープジャパンから齋藤茂樹氏、ポニーキャニオンからヒットメーカーの吉田就彦氏の両氏を副社長に迎えた。

広告事業をベースにポータル事業の代わりに、EC事業に集中する体制にシフトした。

ディズニーとインフォシークの件で最後まで随分振り回されたが、2000年12月のインターネットバブル、まさに終焉というタイミングで、討ち入りの日（12月14日）にいちよし証券主幹事でなんとかＩＰＯを果たした。
（年の瀬も迫った12月14日、その日のニュースが何度も赤穂浪士討ち入りを取り上げていた。祝宴で酔った頭の僕には、何故だか少しだけディズニーとデジタルガレージが討ち入りのイメージとオーバーラップした……）

——林郁

上場。そして21世紀の幕開け

20世紀最後のこの年の最後の月に、デジタルガレージは満を持してジャスダック市場に上場を果たす。インフォシーク事業の売却から約1年半後の2000年12月14日、インフォシークの売却に時間がかかり、インターネットバブルに陰りが見え始めた時期で、タイミングは万全というわけにはいかなかったが、1株当たり150万円の公募価格に対して170万円の初値をつけるという、順調な滑り出しだった。

新たに強力な仲間も加わった。野村證券の支店長経験者である徳山涼平、公認会計士の櫻井光太、博報堂から家氏太造、ソフト開発のベンチャーを起業していた小尾一介、リクルートの枝澤英雄といった多彩な面々だった。

そして21世紀が幕を開ける。

ネオテニーの挫折

1999年、ディズニー社に買収されたインフォシーク社だったが、

2000年12月14日。IPO当日

翌年の2000年12月には、そのディズニー社がインフォシーク日本法人をインフォシーク本体から切り離し、楽天に売却してしまう。「インフォシークの強力な検索機能を核とした情報系サービスを、楽天の生活系サービスと組み合わせることで、大きなシナジー効果が見込まれる」というのが楽天の買収意図だった。

インフォシーク日本法人の会長を務めていた伊藤はこれを機に会長職から離れると、投資会社ネオテニーの経営にその全エネルギーを注ぎ始める。ネオテニー社は、1999年に伊藤が設立したIT関連のベンチャーキャピタルであり、インフォシークと並行する形で経営に携わっていたのだが、伊藤はこのネオテニー社のみにしばらくは専念しようと心を決めるのである。自身のこれまでの経験から、一つのビジネスに集中するよりも、さまざまな企業をポートフォリオとして管理する投資事業のほうに自分は向いていると考えたのだ。

伊藤のグローバルな人脈と、インターネット・エバンジェリストとしての抜群の知名度とがあいまって、ネオテニー社の運用するファンドにはたちまち多くの出資者が集まった。2002年には、インキュベーションコンサルティングにさらに力を入れるべく、新規事業開発、社内ベンチャーの事業化コンサルティング、起業家育成に特化したネオテニーベンチャー開発株式会社も新しく立ち上げた。

だが、事業は順風満帆とはなかなかいかなかった。最盛時には40人のスタッフを抱え、多くのスタートアップ企業のために投資をすすめ、育成事業を進めていたのだが、インキュベーション事業が本格化するにつれ、投資先の企業価値が大きく低下してしまうといった事態に幾度も直面することになる。

それは伊藤の目利きが悪かったというわけではなく、当時のITやインターネットをめぐる外部環境の貧弱さや、開発と検証を短期間で繰り返していくアジャイル開発手法がいまだ導入されていないなど、インキュベーションにまつわるメソッドがまだまだ確立されておらず、手探り状態であったことも大きな原因だった。そのため、育成に予想以上のコストがかかってしまったのだ。

ネオテニー社の財務体質はやがて急速に悪化の途をたどり、投資家の中には赤字の圧縮を厳しく求めたり、あるいは出資金の返還を迫る人たちも出てきた。伊藤は事業規模を縮小せざるを得ず、やがては、ほとんどのスタッフの解雇と赤坂のオフィスからの撤退を決断することになる。このときのことを、のちに伊藤は「僕の人生の中でもっとも辛いビジネス経験」と振り返っている。だが、この一連の挫折の体験こそが、のちにデジタルガレージの海外投資事業戦略にとって貴重な〝資産〟となり、原動力となるのである。

Scenes that remain in my mind
心象風景

日本型ECポータル
価格.comへの投資・ロングタームインキュベーションのはじまり

広告・決済という事業をベースに、しばらくはECビジネス育成に集中しつつあった頃、設立まもない〝カカクコム〟という会社への提携オファーが舞い込んできた。やはり独立して間もないICPというファンド会社の穐田誉輝氏（現くふうカンパニー取締役会長）が、知人の紹介で会いに来た（光通信重田氏のバックアップしたファンドだったと記憶している）。

少し前に〝カカクコム〟にファンド出資して、事業会社の戦略パートナーを探していた。

一見、『価格.com』は家電の安売り比較サイトにしか見えないが、私には日本型アフィリエイトポータルに成長する、金の卵に見えた。〝価格／Price〟というコンセプトにもピンときたし、創業者の槙野光昭氏、当時参加まもない作田一郎さん、畑彰之介さん（現カカクコム社長）、内田陽介さん（現弁護士ドットコム社長）たちともウマが合った。

（後にYahoo!に買収された、インフォシークの検索技術の米国Inktomiが買収した会社、

米国版価格.comのImpulse Buy Networksが後の検索連動型広告の原型をつくったのも知っていた）

その後デジタルガレージはカカクコムに出資、連結子会社化した。後に3代目の社長となる大手銀行から転職してきた田中実君がデューデリ担当から直ちにＣＦＯに、安田幹広君がＣＴＯに着任した。そして私も代表取締役会長に就任し、現在も会長を務めている。社長を希望した穐田氏の要請を受け、ＩＰＯの諸々の準備に邁進していった。しかし、ＩＣＰが選任した主幹事証券会社が申請直前で降板、いちよし証券の武樋政司社長になんとかスケジュール通りに東証対応をしていただいたのも、よい思い出である。パッパッで運用していたシステムも冗長化して、何とか２００３年にＩＰＯを果たした。

マザーズから東証一部に上場した直後の２００５年に、不正アクセスでサイトを閉鎖した事件での記者会見も、ほろ苦い記憶だ。

最初のアドバイスを依頼した外部のコンサル会社は、「謝罪会見をしろ」ということだったが、後の専門会社は「当社も、外部からの組織犯の犯行による被害者である」と正反対のアドバイスだった。

その後、カカクコムは東証一部上場会社として、『食べログ』（村上敦浩君が創設、現在担当役員）、現在は『求人ボックス』をはじめとする新興メディア（結城晋吾君が担当役員）など、独自の展開で日本のネットビジネスで異彩を放っているのは、ご存知のとおりである。現在の4代目畑彰之介社長との付き合いは、秋葉原のガード脇の電車の音がひっきりなしに響いていて、停車中の乗客と目が合う小さなオフィスからもう20年程になる。

日本のインターネットメディアビジネスの歴史の大部分を共に過ごしてきた、ビジネス戦士としての仲間たちだ！

——林郁

原石、カカクコムの輝き

２００２年初頭。ある一つの出資案件が林のもとに持ち込まれた。カカクコムの株式買い取りの提案だった。現在、デジタルガレージの持分法適用会社として、『価格.com』や『食べログ』などを運営し、２０２０年３月期の売り上げ高およそ６００億円、連結で従業員１０００人以上をかかえるカカクコムの歴史の、これがいわば第二幕の発端である。

話を持ち込んだのは、２００１年にカカクコムの社長に就任したばかりの穐田誉輝氏である。彼が運営するＩＣＰというベンチャーキャピタルが持っているカカクコムの株を買い取る気はないかというのだった。カカクコムは　ＰＣ周辺機器メーカーの営業マンだった槙野光昭氏が、秋葉原のショップでのリアルタイムなメモリ価格を調べるという自分の仕事から発想し、立ち上げた価格比較サイトだった。当初は自らの足で調べ上げた価格を紹介していたが、やがてこのサイトの広告的価値に気づいたショップが自ら価格を登録するというスタイルに変わっていき、ＰＣブームとも相まって人気サイトに成長していった。このとき、社員数は十数名と会社の規模はとても小さかったが、バナー広告やオンライン店舗の出店料などからの収益で、２００２年３月期決算で売り上げ２億５７００万円という着実な成果をあげていた。そんなふうに業績拡大のさなかにありながらも、槙野氏が亀田氏に経営を引き継いだのが２００１年12月のことであったが、槙野氏は雑誌の対談で「5億円稼ぐことが起業理由だったんで、それが見えた段階で亀田さんにバトンタッチしました」とその理由を語っている。これが第一幕の終わりであり、槙野氏はこのときまだ28歳であった。

この小所帯ながらも勢いに満ちたカカクコムが、林には将来のEコマースの可能性を拓くビジネスの原石としてきわめて魅力的に映った。ちょうど、ジャスダックへの上場で調達できた資金もあった。デジタルガレージの事業の柱をより増やし、より太くすべき時期でもあった。また、海外からの事業をライセンスで行うタイムマシーン型のビジネスのやり方は、インフォシークで辛酸を嘗めていたし、時間が掛かっても、日本軸足の事業が良いと考えていた。だが、このときのカカクコムは、ＰＣメーカーや家電量販店などから厳しい価格競争をさらに助長する「安売りサイト」として迷惑がられており、やがて消え去るバブルのようなサービスと見なされていた。しかし、林の直感はその正反対だった。

亀田氏の提案を受けて、さっそく出資審査が開始された。担当したのは、のちにカカクコムの代表取締役社長となる田中実だった。10年勤めた東京三菱銀行からデジタルガレージに転職してきたばかりの田中は、実質的にはこれが最初の仕事らしい仕事だった。4カ月をかけ、創業者の槙野氏や亀田氏へのインタビューを行い、また社員への面談も繰り返し、田中はカカクコムを徹底的に調べ上げた。そして出した結論が「GO」であった。

2002年6月、デジタルガレージはカカクコムを連結子会社化することを決定し、カカクコムの株式45%を7億2000万円で取得、常勤役員を含む過半数5人の役員（うち代表取締役1人）を派遣することとした。デジタルガレージのグループをあげての育成支援が始まったのである。

浅草橋の雑居ビルから東証一部へ

審査を担当した田中にとってまさに青天の霹靂だったのは、このカカクコム子会社化決定がなされた取締役会後の林との昼食の席で、林からカカクコムに転籍して欲しいと言われたことである。デジタルガレージに移ってまだ8カ月しかたっていない田中だった。最初に担当した大きな案件を無事に処理し、ファイナンスのプロとしてこれから本格的に力を発揮していこうと思っていた矢先に、その最初に担当した企業に送り込まれるなどとは夢にも思わなかった。

一方、デジタルガレージにとってこれまでで最も規模の大きい投資であり、また、なによりも林は、後のDGの3つのコアと定義される〝IT(システム)・MT(マーケティング)・FT(財務)のエンジンが、タービンの歯車のように回転してはじめてインターネットビジネスが離陸する〟と気がついていた。

林の視点からすると、当時の〝カカクコム〟は、創業者が第一線を退いて、VC系社長が就任して人材をかき集めていたが、MT(マーケティング)の人材は作田・畑・内田を中心に厚く見えたが、FT(財務)を担当する人材リソースやIT(技術)系の中核人材もピンチに思えた。

そのため、財務担当CFOとして田中を、技術担当CTOとして安田を派遣して、自らも会長に就任して、株式公開に向けて全力で走りはじめた。

現在も『価格.com』は大手のECモール、ECサイトのアフィリエイト企業のなかでトップクラスのシェアを誇るが、そのいくつかのユニークな

浅草橋の雑居ビルが2002年当時、カカクコムのオフィスだった

要因を挙げてみる。

一つは内的な要因で、価格情報の更新の仕組みである。アメリカや日本における価格比較サイトの多くが、ロボット型検索技術を用い、さまざまなサイトに掲載されている商品価格を1日1回という頻度で自動的に収集し、それを掲載するというシステムだった。だが、この方法だと、情報の変化がユーザーにはわかりにくく、静的な印象を受けてしまう。一方、『価格.com』では、店舗側がそれぞれIDとパスワードを持って店舗自ら価格情報を入力するという仕組みを作った。すると、価格競争が激しい商品などは短時間で頻繁に価格情報が更新されるので、非常に動的でリアルタイムな印象を与えた。そのために、最新情報を常に求めるユーザーを集めることに成功したのである。

もう一つの要因は外的なもの、つまり日本独特の状況である。アメリカではイーベイとAmazonにオンラインショッピングのシェアが偏りすぎたため、価格をあれこれ比較する

懐かしい価格.comの以前のサイトたちだ

という動機や意味がほとんどなくなってしまった。だが、『価格.com』は、大手事業者との付き合いを偏重することなく、東京の秋葉原や大阪の日本橋といった場所に店舗を構える中小独立系の事業者とも良好な関係を築きあげ、かつ維持し続けることで、多くのプレーヤーが価格を競い合うという公正かつダイナミックな空間を作りあげることに成功したのである。

そして、林たちが考えたもう一つの最大の武器が、CGM（Consumer Generated Media）である。つまり、消費者やユーザー自身が参加することで、そのコンテンツ自体が磨かれていく、新しいタイプのメディアサービスである。『価格.com』には掲示板という、その道のセミプロたちが教えてくれる、マスメディアでは得難いユーザーからの公平な〝口コミの情報〟という最大の武器があった。

カカクコムが東証マザーズに上場を果たしたのは、2003年の10月のことだった。翌2004年には本社を文京区に移し、さらに2005年には東証一部に昇格する。大躍進を果たしたカカクコムは同じ年に、『食べログ』のベータ版サービスを開始する（その後、2009年に代官山デジタルゲートビル、2020年に渋谷パルコDGビルへと拠点を増やしている)。

現在4代目社長として、畑彰之介社長のもと、常勤取締役の村上敦浩、結城晋吾、宮崎加奈子の体制でコロナ禍を乗り越え、さらなる進化を果たしている。現在のカカクコムグループを畑社長は「日々の生活が豊かになるような、ユーザーにとって役に立つ情報を提供し続けるということを第一に掲げ、地道によいメディアを作っていく。この方針のもと、カカクコムグループでは『価格.com』、『食べログ』、それから『求人ボックス』をはじめとする新興メディア・ソリューション/ファイナンスといったさまざまな領域=生活領域の全般を網羅できるような事業展開を行っているが、一方で、デジタル化の加速によって、既存事業の成長や事業領域の広がりが、今後さらに進んでいくであろうとみている。市場や世の中の変化にどう対応していくかを常に考え、新規事業にもベンチャー精神で挑戦していきたい」と述べている。

2005年、カカクコムはマザーズから東証一部に鞍替え

Scenes that remain in my mind
心象風景

第2弾 CGM／米国発CGMのブログポータル テクノラティの挫折

情報検索サイトとしてのYahoo!が一世を風靡し、Googleがテクノロジーを武器にYahoo!に追いつけ追い越せというステージに入りつつあった頃に、次はユーザーのコンテンツそのものをアグリゲーションして見せるブログポータルの時代になると予感していた（事実、グループでのインキュベーションを本格化させた価格比較サイト『価格.com』は、ユーザーの掲示板を活用した日本型CGMサイトとして強力な伸びを示しはじめていた）。

そんな時、Joiからのトスアップで、テクノラティの話が舞い込んだ。当時アメリカで一番進んでいたブログポータルであった。その後、テクノクラティと資本提携し、日本のブログ検索サービスの事業をはじめた。

ブログは我々の読み通り、日本でもブームとなりブログの女王が登場し、ワイドショーや週刊誌で人気ブロガーのコンテンツも取り上げられるようにまでなった。しかし、インターネット周辺の動画等のテクノロジーの進化や、米国を中心に圧倒的なシェアを伸ばしつつあったスマートフォンの登場で、PCがスマートフォンに置き換えられていったように、ブログはSNSと置き換えられていった（また、ブロガーも長いコンテンツのアップロードに少し疲れはじめていた）。

テクノラティの創業者であるデイブ・シフリーは素晴らしい技術者に見えたが、こうしたユーザーやテクノロジーの波を敏感にキャッチして、パドリングして乗っていくサーファー型のビジネスマンとしては、やや優柔不断な面も感じていた。

インターネットビジネスは、テクノロジー（IT）だけでなく、マーケティングセンス（MT）と、戦略パートナーとの資本業務提携（FT）を柔軟にタイムリーに組み合わせてサーフィンしていくことだ。ビジネスサーフボードからの転落はすなわち、即退場を意味する、まさに生き馬の目を抜く世界でもある。

その頃、サンフランシスコのテクノラティ本社にはさまざまな提案が舞い込んでいたように見えた（その中には我々の提案もあった）。以前にも書いた通り、歴史に〝if〟はないが、シフリーにもしビジネスマンとしての柔軟性とさまざまな戦略パートナーからの提携をうまくパドリングしていける強い意志があり、スマートフォンの普及が数年遅れていたら、インターネットにおけるブログの世界のビジネスも違うストーリーとなっていたことであろう。

インターネットビジネスで重要なのは、まずはピンポイントで事業をはじめるタイミング（遅すぎても早すぎてもNG！　私はサーフィンや凧揚げに喩える）と正しい意思決定までのスピード感だ。また、ダメそうだと感じたら躊躇なくピボットできる強い意志だ。テクノラティの挫折はいろいろなことを教えてくれた。日本語サイト終了を発表した夜、1人で自分自身の心の鏡を拭き直した。

——林　郁

ブログがやって来た／CGMへのビジネス二の矢、三の矢

２００５年には、デジタルガレージにとっての大きなもう一つのトピックがあった。アメリカでブログ検索サービスを手がけるテクノラティ社との業務提携である。

そもそもは前年の２００４年夏、伊藤から林に送られたメールがきっかけだった。アメリカのテクノラティ社が日本のマーケットに進出するにあたってのパートナーを探しているが、デジタルガレージは興味があるかという内容だった。

１９９９年にブロガー社がサービスを始めた頃から、伊藤はブログの持つメディアとしての意味や可能性に強い関心を抱いていた。「ブログって日記じゃなくて、１対ｎのメールみたいなもので、コミュニティの要素が強いものなんです」と雑誌のインタビューで伊藤が語っているが、彼の関心はブログが誰もが自分の意見や体験を自在に発信できるオープンなメディア、いわば民主的なメディアであるというその特性にあった。それはマスメディアに敵対するものではなく補完するものであり、大手企業や専門家と呼ばれる人々によるモノポリー（独占）に穴を開けるものであると考えていた。「ブログは政治にもビジ

ネスにも革命を起こす。だって、みんな嘘がつけなくなるんだから」という当時の伊藤の言葉は、ブログというメディアへの大きな期待がうかがわれると同時に、インターネットメディアのもたらす文化的影響を予言した、的確な言葉ではないだろうか。

伊藤は2002年あたりからブログに関連した事業の可能性について考えをさまざまにめぐらせていたが、まず最初に目をつけたのがブロガー社だった。有力なブログプラットフォーム・サービス企業の中でも、ブロガー社に一番の勢いがあると考えていた。彼はブロガー社への出資を決断し、あとは契約書へのサインをするだけという段階にまでこぎつけたのだが、直後、Google社がブロガー社を何の前ぶれもなく買収してしまうのである。それでも伊藤はあきらめることなく、こんどはブロガー社のライバルであり、ブログ構築ツールの「Movable Type（ムーバブル・タイプ）」を開発したことで有名なシックス・アパート社への出資をネオテニー社を通じて行う。それが2003年のことである。折しもこの年に勃発したイラク戦争では、バグダッド在住の女性ブロガーが市民の目でリアルな戦いの様子を刻一刻とブログで世界に発信したことが話題となったが、このことも伊藤の「ブログは世界をよりよい方向に変えてくれるかもしれない」という希望をより強めてくれたのだった。

テクノラティ社から伊藤に打診があったのは、そんな時期のことであり、ブログ検索サービス最大手のテクノラティ社の検索エンジンを用いてブログの情報を集約できれば、新しいビジネスモデルやコミュニケーションを生み出すことができるかもしれないと伊藤は考えていた。

伊藤からテクノラティ社についての話を持ちかけられた林もまた、ちょうどブログに大きな関心を抱き始めたころだった。『価格.com』でCGMの可能性を見出し、さらに立体的にユーザー視点でメリットのあるテクノロジーやサービスはないかと日夜考えていたちょうどその頃である。日本でもブログ人気は高まりを見せ始めていたし、テクノラティ社のブログ検索を用いることができるということは、ブログを介したポータルビジネスを展開できることを意味し、林にはなによりもそれが魅力的に映った。ブログ検索そのものの概念を作ったのがテクノラティ社であったから、キーワード検索はもとより、URL検索、そして最近のタグ検索までも備えており、加えてその時点でのリンク数で人気ランキングを出す技術力や表示の仕方など、サービスの質がその当時の米国内競合 Googleや

Yahoo!に比較しても非常に高く、優れたＵＸも見逃せなかった（これらのタグ検索はこの後、Twitterやインスタグラムへと進化していった）。

決断は速かった。２００５年1月、デジタルガレージはテクノラティ社と業務提携を結び、テクノラティジャパンを設立、テクノラティ社の検索エンジンを使った日本語でのブログ検索サービスを開始した。

このとき、日本国内には１２０万人ほどのアクティブブロガー（更新・閲覧頻度の高いブログ利用者）がおり、すでにその9割をテクノラティジャパンはカバーしていた。テクノラティジャパンにかける期待を、林はあるメディアのインタビューでこう述べている。

「たとえば『あるメーカーのテレビを買おう』という時、これからは価格比較サイトの『価格.com』の掲示板とそのメーカーのサイト、これにブログという3つの視点で精査してから買おうというユーザーが増えてくるはずです。そんなときに、ぴったりのブログを探すためには『テクノラティ』が必要になってくるし、その利用頻度はもっともっと増えてくるでしょう」

林はテクノラティジャパンのブログ検索を出発点に、広告やリサーチのビジネスにチャレンジし、加えてブログのデイリーニュースペーパーのような事業を展開することも考えていた。いちいち検索をかけなくとも、興味があるものを登録しておくだけで、それに関連したブログをユーザーごとにカスタマイズして表示してくれるというサービスである。林はこうも語っていた。

「近未来のユーザーはマスメディアの情報に加えて、さらにもうひとつの視点としてブログからも情報を得るようになる。ブログはユーザーの生の声が反映されていますから、より信頼のおける情報源として重宝されていくでしょう」

林は２００６年の夏には、電通、サイバー・コミュニケーションズ、アサツーディ・ケイと共同でＣＧＭマーケティングを設立（現在はBI.Garageへとピボット）。ブログ検索を活用した、消費者発信型メディア（ＣＧＭ）向け広告配信ネットワークの構築がその目的だった。ブログをめぐる戦略も着々と整えていったのである。

マスメディアでもブログは頻繁に取り上げられるようになり、〝ブログの女王〟と呼ばれたブロガーがニュースキャスターや広告タレントになるなど、ブログはブームとなってビジネスは順調に推移しはじめた。

2006年に出版された、伊藤穰一、デイブ・シフリー、デジタルガレージグループ共著によるブログの解説本

Technorati

ブログ検索サイト「Technorati JAPAN」のロゴ

やがて、Googleがテクノラティ社の競合を買収するなど、テクノラティ社の技術優位性が徐々に追い上げられはじめる。時を同じくして、有名ブロガーたちもそれなりのボリュームのブログというコンテンツを常にネットに上げ続けていく行為に少し疲れて見えた頃、SNSのTwitter、Facebookのようなショートメッセージ型のCGMや、携帯電話の写真機能向上に時を合わせた動画共有サービス（YouTube、ニコ動など）が現われ、次第に長文型のコンテンツは、ショートメッセージや写真・動画などというリアルタイム性の高いCGMメディアにその地位を奪われはじめた。

そして、米国のビジネスの混迷を受けて、株主からのプレッシャーもあり、創業者デイブ・シフリーから、広告ビジネスだけの経験のプロフェッショナルCEOにトップ交代された。そして、ADネットワーク事業の会社へと大方針転換が図られた（デジタルガレージを含めて本当にたくさんの戦略提携オファーが舞い込んでいたが、もし創業者のデイブ・シフリーに、より強く速い意思決定力の才があれば、物語は違ったように思えた。技術力だけでなくタイミング〝時の利〟や意思決定、経営者としてのブレない軸足が大切だと林は述懐している）。

ブログという文字文化を中心としたグローバルポータルの未来を夢見た〝兵どもが夢の跡〟が、2009年10月14日に発表されたテクノラティの最後の挨拶文だ。

「国内サービス開始以来、日本のブログ界に貢献し、ブロガーの皆様とともにブログを収益化することを目指してまいりましたが、米国テクノラティ社の事業方針の変更に伴い、日本語システムの開発及びサポートの継続が困難になったことにより、今回のテクノラティジャパンの全サービス停止の決定にいたりました」

グローバルCGMの覇者になる、〝ブログポータル〟の夢は刀折れ矢は尽き、ついに潰えた。

しかし、2005年、『価格.com』に続く日本版CGMの口コミサイト『食べログ』という三の矢がすでに放たれていた。

『食べログ』はたった二人から生まれた/CGMの三本目の矢

カカクコムに入社したばかりの村上敦浩が、社内ベンチャーとして『食べログ』を立ち上げた2005年は、実際にあった2チャンネルの掲示板への書き込みをもとに映画化された恋愛物語『電車男』が世間の話題をさらった年でもあった。IT元年と呼ばれた

1994年から10年ちょっとで、それほどに人々の生活が、とりわけ若い世代のそれがインターネットとの関わりを深め、コモディティ化していったということでもある。

村上は、海外レーベルからアルバムリリースまでしたミュージシャンと、外資系ITコンサルティング会社のビジネスマンの、いわば二足のわらじをはいていたのだが、30歳を目前にして起業したいと思い立ち、まずはベンチャーで経験を積みたいとカカクコムに転職したという変わり種であった。

家電やPC関連がメインだったカカクコムが、新たなジャンルに進出しようと、さまざまなプロジェクトが、いわばメニューのようにして入社したての村上の前に用意されていたが、もともとランチに2時間かけるほどのグルメで食べ歩きが趣味でもあった彼は迷うことなくグルメサイトを選んだ。

当時、先行するグルメサイトは『ぐるなび』などいくつかあったが、村上は自身がレビューを書き込んだこともある『東京グルメ』や『東京レストランガイド』といった、視点がユーザー側に立ったサイトこそが求められるものだろうと考えた。そのため、まずはこの二つのサイトをベンチマークし、それらの弱点や不便な点を改善するという方向で構築したのが、『食べログ』のパイロット版だった。エンジニアと村上のたった二人で作ったがゆえに、画像も掲載できるなど（当時、競合サイトは文字中心だった）、自分たちの思うとおりのものを短時間で作成することができた。ただし、グルメ本を買ってきてはデータを手で打ち込み、６０００店ものデータベースを村上一人で構築するなど、たいへんな労力を要しはしたが……。だが、そのおかげでアップデートも素早く行うことができた。

こうして村上の『食べログ』による競合サイトへの追撃が始まったのである。

最初のハードルは口コミユーザーの確保だった。競合サイトを調べてみると、１日数十万の投稿数を謳うサイトであっても、頻繁に投稿をする常連ユーザーの数はわずか数百人程度であることがわかった。たった数百人でこんな大きなサイトが成立するのかと村上は驚くと同時に、それなら自分にもできるとむしろ自信がわいてきた。村上は友人に声をかけるだけでなく、競合サイトの常連投稿者であり、『食べログ』にも投稿をはじめてくれた人たちとのコミュニケーションを増やすことにも励んだ。こうした取り組みの結果、彼らから『食べログ』を紹介された競合サイトの仲間たちも『食べログ』を訪れてくれるようになったのである。こうして、村上は５００人の口コミユーザーを集めることに成功する。

サイトのアップデートや機能追加もスピードが重要だと村上は考えた。ユーザーからの要望については、早ければ1日以内に、遅くとも1週間で対応できるようにしたが、そのために役立ったのは、エンジニア中心の運営体制をとったことと、2007年から開発環境を「Ruby on Rails」というオープンソースのWebアプリケーションフレームワークに変更したことだった。開発スピードが速くなることで定評があるこの環境に置きかえたことで、「Ruby on Rails」で仕事をしたいという意識の高いエンジニアが集まってくれたと村上は振り返る。

デビューから半年足らずで、『食べログ』の利用者数は100万人の大台を突破する。

短時間で多くのユーザーに受け入れられたその理由を、村上は後にこう語っている。

「これまでは『飲食店から広告予算を獲得するにはどんなメディアがいいか』という発想に立ったものが主流で、『ユーザーが飲食店を探す上で本当に便利なサービスを追求するんだ』という発想のものはありませんでした。そのため、競合他社は販促メディアであることへの固執から抜け出せませんでした。その反対にユーザーの視点を大切にしていた『食べログ』だったからこそ、ここまで大きくなれたんだと思います」

競合サイトのビジネスモデルは、飲食店から広告費を得て専用ページを開設するというものだったので、掲載店を増やすことができなかった。ところが、口コミサイトである『食べログ』は自由に掲載店を増やすことができ、結果的に情報量に大きな差が出てくるのである。

その後も、『食べログ』の〝より公正で役に立つサイト〟への挑戦は続いていく。

公正・中立な情報こそが信頼されるとのポリシーから、ランキングの算出方法は、評価の集まり方や投稿者ごとの口コミ投稿の個性や実績など、さまざまな要素を考慮した独自かつ複雑なものへと進化していった。また、このポリシーを守るために、店舗にとってよい口コミも悪い口コミも両方載せるという方針はずっと変えないできた。そのため、店舗からのクレームもたびたび発生するが、そのつどカスタマーサービスによる丁寧な説明をおこない、少しでも理解を得られるようできる限りの努力をしてきた。また、口コミの内容が読者の役に立つものであるよう、投稿内容はすべてチェックし、具体性に乏しい場合は投稿者にお願いをして書き直してもらうこともしている。投稿者の実在性を確認するために投稿者に電話番号認証をお願いしているのも、おそらく『食べログ』だけである。

そんなふうにして、順調に事業を拡大させていった『食べログ』だが、つまずきもあった。2012年に起きた、いわゆる〝やらせレビュー〟事件である。店舗から対価をもらったやらせ業者が、口コミを装って偽りの評価を行っていたのである。カカクコム側は悪質な業者に対して法的措置を執った。このときはテレビなどにも取り上げられ、村上は『食べログ』が自分たちが思う以上に影響力があるメディアであることを逆に思い知らされた。ただ単純にビジネスを大きくすることだけを考えていてはダメだ。これからは社会的影響力やそれに伴う責任というものをもっと認識したサービスにしていかなければと、村上は気を引き締めた。この事件をきっかけに、数人だったカスタマーサービスの人員を数十人規模に増やすことになる。

林はこの『食べログ』を擁するカカクコムという巨大なメディアについて、かつて雑誌のインタビューでこう語っている。

「カカクコムでは、グループのそれぞれのサービスがシナジーを出し合う連携が理想なのです。ジャズで言えば価格比較のパートに関しては達人の『価格.com』が担当し、それぞれの達人とセッションしていくことで全体としてのトラフィックを増やしていくというイメージですね」

今ではカカクコムの収益の大きな柱の一つである『食べログ』は、そのセッションに欠かせない達人のプレイヤーである。ちなみに、村上はその後、カカクコムの取締役となる。

THE TABELOG AWARD 2021のロゴ。業界が注目するようなアワードに成長した

Scenes that remain in my mind
心象風景

インターネット広告ビジネスの変遷／黎明期の広告メディアレップ、そしてアドネットワーク、ポストクッキーの時代の広告ビジネス（メディアコンソーシアムの挑戦）

Yahoo!とinfoseekの黎明期に、CCI（電通、ソフトバンク）とDAC（DG＋代理店連合）でメディアレップの時代を経て現在に至ると書いたが、その時、電通サイドは森隆一副社長がデジタルビジネス担当役員、CCIは長澤秀行社長というチームでデジタル広告を推進していた。これも偶然だが、Joiと会ったマルチメディアの仕事は、当時電通のプロデューサーだった森部長（映像事業局時代）との出会いでもあった。また、長澤さんはCCI社長（私は競合の広告代理店連合DACを設立し、メディアレップとして競合しながら日本のインターネット広告黎明期を切磋琢磨しながら市場を創っていった関係だった）、日本インタラクティブ広告協会常務理事を経て、現在28社の日本最大のホワイトリストとなった〝メディアコンソーシアム〟をマーケティングテクノロジーで繋ぐ、〝コンテクスチュアルアド〟の事業をBI.Garage（岩井直彦社長）の取締役特命顧問として、次世代広告の確立に向け広告主と日本の主要メディアをテクノロジーで繋ぎ、黎明期から今日に至るまで変わらず活躍し、広告業界に貢献している。

長くDACで社長を務めた矢嶋弘毅さん（現博報堂DYメディアパートナーズ社長）、長澤さんとは、日本の広告業界のデジタル化の一丁目一番地から、また、森さんとはそれ以前の混沌とした番地もない時代から一緒だったことになる。

個人情報の取り扱い方がグローバルな議論となったポストクッキーの時代。また、プラットフォーマーGAFAが席巻する昨今、フェイクニュースや出所が不透明な情報が溢れる過剰情報化社会に、本流のジャーナリズムとして、マスコミのコンテンツが社会的に持つ意義はさらに増している。また、広告主も効率論だけではない新しい広告出稿のあり方を模索している（アドネットワークを活用し、広告でマネタイズするという軸足から、ユーザーの欲しい情報に寄り添い、広告主がコミュニケーションしていく時代へのパワーシフトがはじまったともいえる）。

言い換えれば、BI.Garageがおこなっているのは、個人情報に最も繊細なドイツで選ばれた、スイスの著名データプラットフォーマー〝1plusX〟を用いて、グローバルで同時多発的に起こっている「コンテクスト（コンテンツの文脈）対応していく広告」と、「主要マスメディア企業と日本の広告主」のニューコンテクストのデザインともいえる。この新しいテクノロジーが情報（記事、ニュース）というコンテクスト・マッチにとどまらず、Eコマースのコンテクストを結びつけ、次世代型のECビジネスの地平を開く可能性に期待している。

――林 郁

2011年5月 JoiのMIT Media Lab所長就任祝い、電通森隆一さん・ADK永井秀之さんのお疲れさま会での一コマ

デジタルマーケティングへの挑戦——黎明期

メディアレップ、ＤＡコンソーシアムの始動

かつてのインフォシーク日本語版の事業化の開始は、日本のインターネット広告の始まりでもあった。サービスの稼働開始と歩を合わせ、当時の電通以外、博報堂、旭通信社などの大手広告代理店連合でインターネット広告レップＤＡＣを設立、日本におけるインターネット広告の啓蒙・普及を目指した。

当時、林と伊藤は、ＤＡＣに出向してきた各社の担当者と合宿スタイルの会議を繰り返し開いては、広告バナーのサイズと表示場所、表示期間、名称、料金をどのように決めるか、広告効果の測定方法はどうするのかなどについて、長い時間をかけて議論を重ねた。会議に参加した広告代理店のキーメンバーたちが自らの社内で情報共有することで、日本におけるインターネット広告のスタンダードが試行錯誤の末、着実に形作られていった。

ＤＧメディアマーケティングの創業

２００６年３月にカカクコムグループと共同で、インターネット広告代理店「ＤＧメディ

アマーケティング」を設立する。

インフォシークや『価格.com』をはじめとする日本のインターネットメディアの始動に関わり、DACの設立を仕掛けたデジタルガレージとしては、満を持してのインターネット広告代理店業への参入であった。

小田急線の代々木上原駅に程近い小さなビルに集まった10名ほどのメンバーの中心は、生まれたばかりのインターネット広告の原野をいち早く駆け回っていた、希望と野心に溢れた20代の若きネットアドマンたちだった。

代々木上原駅の改札まで走って30秒。得意先を訪問するにも、終電に駆け込むにも便利なこの立地を最大限に生かして、フットワーク軽く日々たくさんの案件を抱えて奮闘した。彼らが切り拓いた未開の大地が、現在のデジタルガレージのマーケティング部門の大きな成長に繋がっている。

現在、デジタルガレージのマーケティング部門を率いる北田俊輔はこう回想する。

「当時のデジタルマーケティング事業の中身は、数多あるネットメディアのさまざまな広告枠の中から、広告主の目的に沿うものを選定（プランニング）し、提案し、個別に買い付けるというものでした。プログラマティック広告による自動買い付けとオーディエンスターゲティングが定番となっている昨今では想像し難いですが、当時は『どのユーザーにどのような広告を出すか?』ではなく、『どのメディアのどの枠に広告を出すか?』が議論されていました。つまりは、デジタルマーケティング事業とは、各メディアが持つ広告枠がすべてであり、有力メディアの広告枠を他社よりも優位な条件で提供できることこそがアドバンテージでした」

DGメディアマーケティングで始めた業務分野は、今でこそ業界でも指折りのデジタルマーケティング事業に成長しているが、当時はサイバーエージェント、オプト、セプテーニなど、成長著しいこの市場には多くの先行していた競合がひしめき、10名規模の小さな世帯は業界ではほとんど無名の存在だった。テレアポから商談にこぎつけるのも苦労したと北田は語る。

「他のマーケティング企業が提供できるサービスを真似てもまったく勝負にならないため、グループのアセットを活用するのはもちろんのこと、当時は採用している企業がほとんど無かったユーザーのブログ投稿をそのままプロモーションに活用する手法（コンテンツシンジケーション）を取り入れたり、キャンペーンに参加したユーザーから情報拡散する仕組みを企画したりと、Web2.0の先頭を走っていたデジタルガレージグループの独自性を活かした提案に奔走しました」

『価格.com』との二人三脚——アフィリエイト広告への挑戦

躍進の転機は『価格.com』と連携したアフィリエイト広告だった。

アフィリエイト広告とは成果報酬型広告とも言われ、特定のアクション（商品購入や申込など）に対し、対価が発生する広告モデルのことである。広告主となる金融系の企業においては費用対効果を想定しやすい集客施策と位置付けられ、当時から大きな予算が投入されていた。

しかしながら当時、アフィリエイト広告の運用は十分に科学されておらず、数千の大小さまざまなメディアを管理する運用の煩雑さから、大手のマーケティング企業が本格的に取り組む領域ではなかった。そこにデジタルガレージと『価格.com』は大きな可能性を感じていた。

メディアの特性上、クレジットカード関連コンテンツと親和性が抜群に高い『価格.com』は、良質な情報を提供するメディアとしてSEOの評価が高く、集客の質・量の両面からバリューのあるメディアとして認知され、順調に成長を

代官山DGビル開設直後のMTセグメント会議の一コマ

続けていた。

『価格.com』と密接に連携した、デジタルガレージ独自のアフィリエイト広告メニューの開発は、予想通りの成果を生み出すことで大きな競争力を持つこととなったのだ。

金融系企業のデジタルマーケティングパートナーへ

『価格.com』との密接な連携を背景とした、デジタルガレージのアフィリエイト広告メニューは着実な結果をもたらし、金融系クライアント企業との広告取引の案件数は瞬く間に増大していった。

これと並行してデジタルガレージは、『価格.com』との取り組みだけではなく、検索結果画面に表示される複数のメディアに広告掲載をする戦術を作り上げていった。一つのメディアだけを扱うレップとしてではなく、数百~数千にのぼるアフィリエイトメディアをコントロールするエージェンシーとして、デジタル広告の予算の大部分を預かるようになった。その過程でデジタルガレージの事業も組織も大きく躍進することになった。こうして業界の課題にいっそう深く向き合うようになったデジタルガレージは、次なる課題と向き合うことになる。

そして、それがさらなる飛躍のチャンスを生んだ。

CRM／ポイントモールメディア事業の活性

クレジットカード会社のビジネスは、獲得したカード会員がカードを利用（決済）することにより発生する決済手数料によって成立している。そのためカード会社は、カード会員に向けて加盟店のお得な情報を途切れることなく発信し続ける。その主な手段は毎月郵送する利用明細書に同封する冊子や自社ホームページでの告知であり、インターネットが普及しても印刷物に取って代わる有効な会員向け施策が無い状況だった。

２００７年、デジタルガレージは、会員獲得プロモーションを担当していたオリエントコーポレーション社の依頼を受け、アフィリエイト型ポイントモールメディアの開発を行い、その年の5月からサービス稼働を開始した。ポイントモールにおいては、通常よりも有利な条件でポイントが還元されることで、カード会員であるＥＣサイト利用者の積極的な利用を促すこととなる。カード会社にとっては期待通り、会員活性化の切り札となったのだ。

ポイントモールメディアを効率的に運営するには、顧客の購買行動全般を幅広く分析する必要がある。まさにＣＲＭ（Customer Relationship Management）領域のスキルと安定的な運用体制が必要な分野だ。ところが、社内異動が多いカード各社では、自社運営でのナレッジの蓄積が難しいため、必要であっても費用対効果が合わないことが課題となっていた。ここにデジタルガレージグループの強みが発揮されることとなったのである。

現在デジタルガレージのポイントモールメディア事業はさらに規模を拡大し、ＥＣサイトへの送客だけでなく、リアル加盟店への送客をも実現する三井住友カードの「ココイコ！」の開始など、ポイントモール運営に付帯するサービスも幅広く展開している。

カード会社からの引き合いも順調に増え、ＣＲＭ領域のビジネスパートナーとして、現在では金融系クライアント企業20社以上との提携により、１３００億円を超える送客マーケットを作り出すまでの成長を遂げることとなった。

ポストクッキーの時代／ストーカー型広告からオプトイン型広告へのシフト
――ＧＡＦＡの台頭ｖｓマスメディアの衰退

インターネットの登場以降、インターネット上のメディアは発展を続け、この20年で、生活者の利用メディア、さらに広告メディアとしてナンバーワンに成長した。２０２０

年の電通の「日本の広告費」によれば、マスコミ4媒体全体の広告費は2兆2536億円、対前年比86・4%だった一方で、インターネット広告費は2兆2290億円、対前年比105・9%の成長となり、マスメディア広告費を超えた。スマホ利用層の拡大やEC、電子決済などの市場拡大もあり、この傾向はますます加速するだろう。

インターネットメディアの利用は現在、その利便性、網羅性、習慣性からGAFAのプラットフォーム利用に集中している。その結果、デジタルメディアのビジネスマネタイズの原資になるいわゆるアクセス数、ユーザー数、利用データスケール等がGAFAのプラットフォームに寡占的に集中しているのが現状だ。

たとえば従来のマスメディア領域では圧倒的なパワーを持つマスコミ4媒体は、デジタルメディア広告の領域ではわずかにネット広告全体の3・6%の広告費しか稼ぎ出せていない。この傾向が続けばGAFAプラットフォーム以外のデジタルメディアは競争力を持たず、その存続も危うい。この課題については、日本を含む各国政府も公正取引での寡占状況や個人情報独占の視点から危機意識を持ち、対GAFAプラットフォーム法制等の対応を始めている。

ストーカー型広告と個人情報保護との軋轢

インターネット広告が伸びてきた理由の一つに、閲覧履歴や行動履歴を元に広告が追いかけてくる、いわば「ストーカー」のような広告の存在がある。クッキーによって個人に紐付けて広告を見せる行動ターゲティング広告やリターゲティング広告だ。ユーザーが一度ショッピングのページなどを閲覧した後、そのクッキー情報を元に、さまざまなメディアで広告を出す仕組みだが、広告技術が高度化する中、課題も浮き彫りになってきている。

ここ数年、個人情報保護の意識の高まりにより、クッキーを使ったターゲティング広告が使いにくくなり、しかも行動ターゲティング広告を行う事業者に対してクッキーの利用を制限する動きがグローバルに拡大してきた。欧州は２０１８年より一般データ保護規則（ＧＤＰＲ）を施行し、企業や広告会社などとクッキーをやり取りする際は、個人から同意を取得することを義務付けた。米国でも２０２０年１月には初の包括的なプライバシー保護ルールとなる「カリフォルニア州消費者プライバシー法（ＣＣＰＡ）」が施行されている。同様な動きは日本においても改正個人情報保護法に取り込まれつつある。こうした動きを受け、ＧＡＦＡプラットフォームも対策を始めた。Googleは個人ユーザーのネット閲覧履歴データの外部提供やクッキーの仕組みの停止を公表したし、Appleも個人情報保護の動きを加速させている。このように現在、インターネットメディア、そしてインターネット広告の成長を加速させてきた、ネット上の個人データの活用によるターゲティング広告等の動きが転機を迎えつつある。いわゆる「枠から人へ」のネット広告の持つデータターゲティング方式の見直しの動きだ。インターネット広告領域でもユーザーに主体性と多様性を提供し、ユーザーの意思と共存できる広告モデルが求められ始めている。

アドフラウドや著作権侵害サイトの社会リスク

広告手法が高度化した功罪は他にもある。そもそも、インターネット広告の課金メカニズムの多くはクリックやユーザーの消費アクションが起きて発生する、いわゆる成果報酬型である。このメカニズムの場合、コンテンツ閲覧のみではそのコンテンツに掲載される広告費は発生しない。当然、「どんなコンテンツでも」閲覧数を伸ばしてクリックを「稼げば」広告収益は拡大する。想定ユーザーにターゲティングできれば、どのメディアの広告枠でもよいという発想だ。この仕組みはユーザーとの広告ミスマッチを生み、ネット広告嫌いを誘発している。加えて、漫画村などが一時期話題になったように、インターネット上に複数存在する著作権侵害サイトや公序良俗に反するサイトに、広告主が意図せず広告が表示されてしまい、ブランド価値を毀損してしまう。また、広告取引の基本通貨であるインプレッション、クリックの偽造行為により広告効果等の水増しを図る「アドフラウド」の問題もあり、いわゆる「ネット広告の闇」が社会問題化していることも、拡大するデジタルメディア市場の解決すべき喫緊の課題だ。

広告主の悩みとこれからの志向

これらは広告プラットフォーム運営のみならず、広告主側の悩みでもある。世界最大の広告主の一つであるP&GのCBO（最高ブランディング責任者）は、2017年1月のIAB年次総会にて、ネットメディアの信頼性が揺らいでいるという流れを受け、「P&Gは、『透明性』の担保されたメディアとしか取引はしません」という強いメッセージを打ち出した。しかしこれはP&Gだからできることという考えもあり、広告主によっては、ネットメディアの課題は知りつつも目の前の数値に追われ、これまで通りのやり方を継続してしまうという現状もあった。そういった背景もある中で2019年、日本アドバタイザーズ協会（JAA）はアドフラウドの排除、ビューアビリティの確保、ブランドセーフの確立を掲げ、「デジタル広告の課題に対するアドバタイザー宣言」を発表した。この動きを具体化するものとして　デジタル広告の質を第三者により検証していく（社）デジタル広告品質認証機構（ＪＩＣＤＡＱ）が２０２１年に設立された。今後のインターネットメディア、インターネット広告の健全な成長に資する動きだ。このように広告主サイドもインターネットメディア、インターネット広告に、その効率性だけでなく信頼性を強く求める仕組みを必要としている。その解の一つが、グループで進めるコンテンツメディアの価値向上にある。

BI.Garage の挑戦

コンテンツ接触（閲読、視聴）に広告接触（閲覧、視聴）が誘発される広告モデルは、従来メディアでもデジタルメディアでも不変だ。コンテンツを飛ばして広告だけ接触するユーザーはほとんど存在しない。ユーザーはコンテンツを目的にメディアを訪ね、広告に触れていく。このコンテンツの価値が広告へ大きく影響するのはデジタルメディアでも同様だ。

コンテンツの持つ付加価値をオンラインメディアで強く「価値化」しないと、一次コンテンツを創るメディアはバランスシートが構築できない。これまで、プラットフォーマーはコンテンツの二次利用等やソーシャルメディアコンテンツを通じてなるべくコストをかけずに広告の設置場所を量産してきており、広告主も「運用型広告モデル」への広告費投入が中心だったが、コンテンツや広告の信頼性、クオリティの維持がその担い手により担保できるのかという社会課題が存在していた。言い換えれば、情報コンテンツの信頼性、多様性が社会システムとして確保できるのかという課題だ。そこで、2006年設立以来、マーケティング領域で、先端的かつ効果的なマーケティング手法の確立に取り組んできたBI.Garageは、一次コンテンツを創るメディアのクオリティが社会的にサステナブルに確立されることが不可欠であると考え、新たな挑戦を始めている。

その中の一つが、「コンテンツメディアコンソーシアム」の組成だ。一次コンテンツを作る国内有数のコンテンツパブリッシャーが一堂に介し、GDPR、CCPAといった仕組みに準拠した1plusXの広告プラットフォームを利用して、「コンテクスト」に沿った広告を掲載する。コンテンツ（記事、番組）という社会性、文化性、信頼性の高い情報と広告の連動により、ユーザーが見ようと思ったコンテンツに連動した広告を配信する。そこに、アドフラウドやブランド毀損は存在しない。つまり、クライアントの大事なユーザーへのメッセージについて、その質や信頼をないがしろにする手段への挑戦だ。優良コンテンツの質と量、良質なユーザーを基盤に、ユーザーが受け入れやすいタイミングで、受動的に見た広告から、能動的感情すなわち認知、理解、好意、行動を引き出していく。コンテンツメディアのクオリティ維持が社会的に不可欠な環境において、意志あるコンテンツメディア群がプラットフォーム側とのより建設的な関係を構築することにより、新常態下でユーザーと広告主の信頼を担保することは、インターネットメディア社会を持続可能とするための重要課題だ。社会性、文化性を持つコンテンツを生み出すメディアがなければ、その社会はかならず衰退していく。その危機感から、世界各国で、ＧＡＦＡに対抗したメディアコンソーシアムが生まれ育っているのだ。BI.Garageは、彼らとも連携の上、アジア圏でも事業を展開していく。

ビッグデータと決済の未来

広告、プロモーション、ブランディングの結果、購買の多くがＥコマース化されて久しい。店舗もショールーミングを前提とした形態が登場し、そこでは

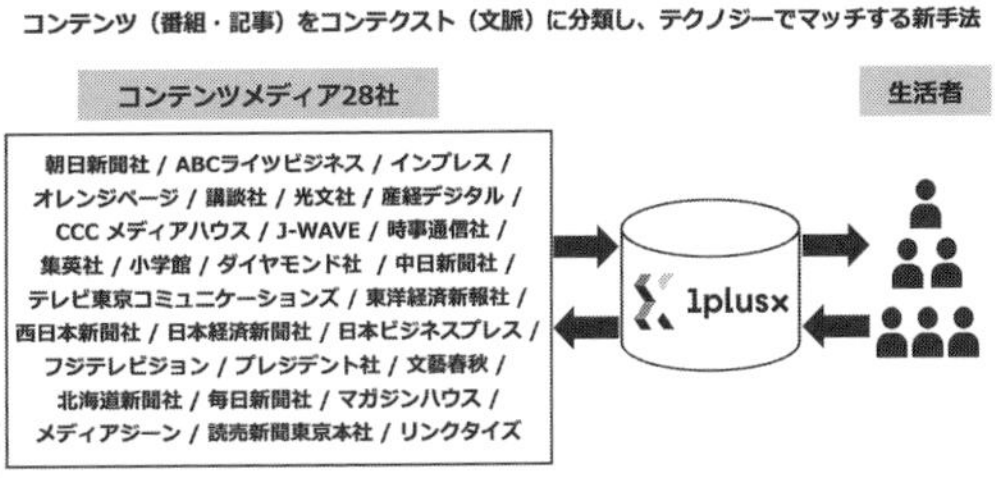

個人情報保護に最も敏感な欧州で選ばれたテクノロジーを採用した、日本の主要28社のマスメディアとの戦略事業だ

モバイルでそのまま注文でき、あらゆる消費購買がEコマースになり始めていて、もはやこの呼び方自体に違和感さえ覚える時代に入るかもしれない。

古き良きマーケティングのように、メディアでブランドを認知し、店に出かけ、手にとって初めて購入することがあらゆる商品で一般的だった時代は過ぎ去り、ドラマやライブなどのコンテンツやソーシャルの投稿をきっかけに、その場で買い物行動に移る生活者は増え、商品のマーケティング活動と購買行動の距離は限りなく短くなっている。

これは生活者にとって選択肢を増やし、買い物をより手軽にする。しかし逆の見方をすれば、ブランドやショップが顧客を繋ぎ止めておくことが今までより難しくなるということに他ならない。それゆえ、きめ細かく生活者を分析し、関係を維持するためにどうすればよいのか知恵を絞らねばならない。

デジタルガレージのマーケティング事業でも、さまざまなデータの分析に基づく科学的なマーケティングをクライアントとともに展開するケースが急増している。前述したクレジットカード会社とのCRMや、コンテンツの価値を再定義し、そのコンテクストデータから広告を科学するメディアコンソーシアムもその一環だ。さらにDGFT社の提携パートナーであるPOS最大手の東芝テックやANAグループらも、データ分析に根差したリテールマーケティングやＯ２Ｏマーケティングの一翼を担う視座をもって、本業の拡大を目指すために決済事業を行っているとも言える。その協業を推進するデジタルガレージのマーケティング事業と決済事業もますます垣根を無くし、「ＤＧフィンテックシフト」として戦略を一意にしている。

決済や購買のデータは、生活者の行動履歴や特徴データでもある。そして５ＧやＩｏＴなどのテクノロジーの急速な普及により、決済を取り巻く周辺データも加速度的に増加している。プライバシーへの配慮を怠りなく、そうしたデータを活用することで、個々の生活者がモノを買った理由を見えるようにすることができる。事例としてひときわ目立つ中国等のビッグプレイヤーらは、金融や生活のさまざまなサービスを凝縮した「スーパーアプリ」と呼ばれるフルスタックサービスを展開し、個人の行動情報のビッグデータ分析から導き出される信用スコアで、ローンや融資などさまざまな金融サービスを提供している。

デジタルガレージにおいても、大手小売による金融サービス展開、金融企業による非金融サービス展開など、手掛ける事業は枚挙にいとまが無い。暗号資産の流動性を確保する日本円トークンの事業を子会社Crypto Garageで展開しているが、ビットコインを法定通貨にしようとする国が現れたり、本邦法定通貨のデジタル化の議論に触れたりと、世界は風雲急を告げる様相なのである。

金融のデジタル化の中では、Colored Coin や NFT（Non-Fungible Token）といったものも取り沙汰され、購買や所有移転のトレーサビリティを容易にする。つまり、あらゆる取引にその詳細データが付加される世の中がやってくるのである。DG Labで行っているこれらの技術、情報銀行、人工知能などの研究開発は、決済ビジネスやデジタルマーケティングと密接に結びつく前提で試行錯誤している。

テクノロジーを使いこなす知見が試される時代だが、それにより従来見えていなかった潜在的なニーズが発掘されたり、生活者にさらなる利便性や豊かさをもたらすセレンディピティを生み出すことも可能になってきている。そして、行政や社会全体における人と組織の関係をよりよいものに変えていく可能性をも秘めており、商品マーケティングやコスト削減、セキュリティの確保といったビジネス要素だけではなく、人々が喜び、嬉しいと感じるような瞬間をも創造することだろう。

CHAPTER 3
投資と海外展開

TOKYO・シリコンバレーをつなぐ
〝グローバル・インキュベーションストリーム〟

サンフランシスコの目抜き通り、マーケット・ストリートの717番地に構えたDG717

Scenes that remain in my mind

心象風景　投資と海外展開／日本型インキュベーションへの試行錯誤

「ＯＫ！　ＤＧに投資するけど、即、減損するが悪く思うなよ！　決算が近いから……」

Ｊｏｉと一緒に夕暮れせまる西海岸のサンタクララのサンマイクロシステムズのＣＦＯを訪ねた時のことをいまでも鮮明に覚えている（ＵＮＩＸサーバーで一人勝ちしていたサンは、伝説のスーパーエンジニアたち、インターネットへと続くオープンな哲学、当時のＩＢＭやマイクロソフトと真逆の憧れの企業だった）。

我々が日本で最初のホームページを作った会社で、これから日本のインターネットを普及させていきたいという想いを熱く語ったら、「いいじゃないか君たち」と言ってその場でデジタルガレージへの投資を即決してくれた。日本企業への投資は初めてだよと言って、我々の背中を押してくれた。

また、どうせ繋がるならこんな人、こんなコミュニティがいいんじゃないかなと西海岸らしいオープンな物言いで、さまざまな人たちを紹介してくれた（後日談だが、減損で簿価ゼロとなったデジタルガレージの株は、IPO後、サンにはそこそこのリターンになった)。

その頃日本で私やJoiは、銀行系のファンドから個人保証をさせられたり、投資ファンドのリードをお願いしようと思っていた人から「リスクがないベンチャー投資をするにはどうしたらいいですか?」などと相談されて、2人とも当時の日本のVCの志の低さに心が折れそうになっていた(そもそもスタートアップ投資はリスクがあるからこそ、ハイリターンだし……)。

90年代の日本は、有名大学出身の学生は霞が関や大企業にいくのが当たり前だと思っていた時代だ。日米のインターネットビジネス環境や、アントレプレナーシップなど、そもそも日本のスタートアップを取り巻く未成熟な環境、つまり、日米のVCエコシステムのレベルの違いに愕然とさせられていた。

私はデジタルガレージやカカクコムでの株式公開に関わる主幹事証券会社や機関投資家、エンジェル投資家、ステークホルダーとのさまざまな経験や、当時の子会社群や投資先の

IPOを通じて、日本型VC業界の課題や日本のインキュベーターのあるべき姿が徐々に見えてきていた。シリコンバレー型インキュベーションのエコシステムの圧倒的熱量から学び、日本型インキュベーター、デジタルガレージを確立するためのトライ&エラーがはじまった。

なかでも印象深いのが、Twitterとの出会いだった。音楽とITの祭典『SXSW』のインタラクティブ・イノベーション・アワードを受賞したTwitter社のオフィスにはアートが溢れ、ミニマルなデザインの家具やコンピュータが美しく配置され、コカ・コーラとポテトチップスの匂いがするいままでのテッキーなだけの典型的なスタートアップとは一味違う、ポップなアートや音楽を感じる新世代のインターネットスタートアップだと思った。

また、その後の2011年にJoiはMIT Media Labの所長に就任して、西海岸・シリコンバレー的なインキュベーションメソッドを、東海岸のアカデミアの心臓部であるボストンにJoiスタイルで実装していった。ニューヨーク・タイムズが「an unusual choice」という素晴らしいコピーとともに、「2度の大学中退歴を持つ彼の就任は、非常に珍しいケース」と、白人以外の最初のMIT Media Lab所長就任決定を記事にした。

――林 郁

ツイッター争奪戦

今ではときに世界政治を動かすツールともなるツイッターだが、2007年3月にアメリカのオースティンで開催されたSXSW（サウス・バイ・サウスウエスト）で初めて公開された頃は、社員が十数人の小さな企業が開発したブログともメーラーともつかない、なにかしら不思議で小ぶりなメディアにすぎなかった。SXSWは音楽、映画、インターネット・テクノロジーの巨大な祭典であり、見本市であり、世界中から新しい才能や技術を探しに多くの人々が毎年やって来るので有名だが、その2007年のSXSWでツイッターがWeb Awardを受賞してしまうと、この不思議なメディアは一躍世界の注目を浴びることになった。

DGインキュベーションの投資チームは、このツイッターなるものに、ブログに次ぐ消費者発信型メディアとしての大きな可能性を感じ、ツイッター社にアプローチすべくすぐさま伊藤に連絡をとった。ところが折悪しく、伊藤はツイッター社とライバル関係となるスタートアップ企業のアドバイザーをしていたため、デジタルガレージとの間を取り持つことが契約上できなかった。そこで急きょ、DGインキュベーションの担当者自らがアメリカに赴き、直接交渉に当たることとなる。

とはいえ、ＳＸＳＷで大きな注目を浴びたことで、ツイッター社には世界中の個人投資家やベンチャーキャピタルからの出資の申し込みが引きも切らなかった。サンフランシスコにやって来たＤＧインキュベーションの担当者との交渉も、それゆえにスムーズには進まなかった。


当時、ツイッター社は、サンフランシスコのソーマー地区の古いビルにオフィスを構えていた。サウスパークという美しい公園のあるこのあたりは、ＩＴ関連のスタートアップ企業が多く集まるところとしても有名だった。

担当者がロゴマークも社名も書いていないオフィスのドアをノックすると、ツイッター社の共同創設者の一人であるエバン・ウィリアム氏が自らドアを開けて迎えてくれた。だが、いざＤＧインキュベーションの出資について交渉が始まると、エバン氏は慎重な姿勢を崩そうとしない。ようやく彼の態度が軟化し、関心を少し見せ始めたのは、日本のツイッターユーザーの話をしたときだった。新しく登場したインターネットサービスをいの一番に使う人たちのことをアーリー・アダプターと呼ぶが、ツイッターに関しては世界におけるその日本の割合がとても大きかった。２００７年半ばの時点で、ツイッターが処理するトラフィックのうち約23％が日本向けであり、地域別の記事投稿数でも全世界でなんと東京が1位だったのだ。日本の多くのアーリー・アダプターがツイッターをすでに頻繁に利用していた。この数字を目にして、エバン氏のみならず、他の幹部たちも、日本におけるパートナーとしてデジタルガレージから出資を受けるという提案に対して、次第に真剣に耳を貸すようになった。

幾度かの交渉の後の、伊藤からのエバン氏へのメッセージが決定打となった。たまたまアドバイザーをつとめていたツイッターの競合企業がGoogle社に買収されることになり、伊藤の縛りが解けたのである。しかも、伊藤がかつて出資を計画していたブロガー社の創業者がこのエバン氏であったから、二人は旧知の仲であった。そんな伊藤からエバン氏へ伝えられたメッセージが、「デジタルガレージの出資を受けるといいよ」だった。たったそれだけの言葉がエバン氏の決断を促した。２００７年12月、サンフランシスコの街がクリスマス一色に染まっていた頃、ＤＧインキュベーションによるツイッター社への出資が正式に合意されたのだった。

出資受け入れの条件として、ツイッター社からは日本でのユーザー数を増やすことが求められた。デジタルガレージのツイッター担当者が力を入れたのは、まずはユーザーの声に真摯に耳を傾けることだった。短い期間で日本のユーザー数を増やすには、日本語ツイートがうまくできなかった頃からツイッターを使い続けてきたアーリー・アダプターたちの協力がぜひとも必要だと確信していた。彼らの声を聞くために、担当者はユーザーたちが集まるオフ会（ミートアップと呼ばれていた）に何度も参加した。本来なら「鳥のさえずり」という意味のツイートという言葉を、「つぶやき」という日本語に置きかえたのも、ユーザーたちの生の声を参考にしたからであった。

ツイッター社の主要メンバーたちと林郁、伊藤穰一。ツイッター社のオフィスで

2008年4月23日。満を持して日本語版ツイッターのサービスがスタートした。英語ではない言語による最初のサービスが日本語だったというのは、ツイッター社の日本のユーザーを重視する姿勢の表れだった。

日本にツイッターのユーザーが多くいた理由を、当時、伊藤は次のように語っている。

「アメリカと違って日本にはオープンな遊び場がなかったことと、ツイッターがすごくシンプルだったことだ」

日本語版ツイッターでは、英語版にはないバナー広告のスペースが用意された。林のアイデアだった。ブランディングを重視して、初期の広告はトヨタ自動車など優良企業のものを選んで掲載した。なお、このバナー広告のスペースは、この後、先に設立されていたCGMマーケティングが販売を担当することとなった。

林はツイッターの機能を活かしたさまざまな広告商品の計画を頭に描いていた。たとえば、これはすでにアメリカでおこなわれていたが、クライアントがツイッターアカウントを取得して消費者にフォローしてもらえば、双方のエンゲージメントが醸成されたり、フォロワーに対して一斉に情報を発信するといったこともできるのである。あるいはまた、ツイッターのＡＰＩとGoogleマップを組み合わせたツールを開発してメディアに導入したり、イベントとツイッターを連動させてサンプリング配布の効果を高めたりなど、さまざまな可能性に満ちていた。

ツイッターはまたたく間に話題となり、ユーザー数はうなぎ上りとなった。その影響から、「○○なう」という言い回しが流行し、これは２０１０年の「ユーキャン 新語・流行語大賞」にも選出された。有名人の「公式アカウント」という使われ方も始まっていった。また、２０１１年の東日本大震災では、ほぼ麻痺状態となった電話に代わり、ツイッターが連絡や情報収集の手段として大活躍し、ツイッターの社会的な存在意義をはからずも際立たせてくれることとなったのだった。

２０１１年8月のツイッター日本法人への運用移管まで、日本における事業開発やカスタマーサポートはデジタルガレージが代行した。これを中心となって主導したのが、当時上級執行役員だった佐々木智也だった。彼はツイッターが日本に受け入れられた理由について次のように語っている。

「なによりも匿名制で、好きなことを自由に投稿できるという点がよかったんだと思います。日本語版がスタートした時に、海外のメディアが『俳句の国にツイッター上陸』という記事を掲載したんです。140字以内で書くというルールが、五七五の日本文化にマッチしたのかもしれませんね」

このツイッターをめぐる経験はその後のデジタルガレージのSNS関連事業を展開する上での大きな財産となるとともに、ツイッター日本語版を軌道に乗せた企業として、その名は世界中のスタートアップ企業に知られるところとなり、海外投資事業を拡大する原動力ともなったのであった。

ジョーイ、メディアラボ所長となる

2005年のテクノラティ社との業務提携以来、デジタルガレージと再びともに歩み始めていた伊藤の名が、東日本大震災で混乱の極みにあった2011年4月25日、『ニューヨーク・タイムズ』の紙面に登場した。「MIT（マサチューセッツ工科大学）メディアラボが新しい所長を任命」という見出しのその記事は、こんな書き出しで始まっていた。

「何世紀もの間、卒業証書とアメリカの大学は同義であった。それゆえに、マサチューセッツ工科大学が、アメリカの2つの大学に通いながら卒業しなかった44歳の日本人ベンチャーキャピタリストを、世界トップレベルのコンピュータ科学研究所の所長に指名したのは異例のことだと言えるだろう。1985年に建築家のニコラス・ネグロポンテ氏が設立したMITメディアラボは、リスクを冒してでもコンピューティングの最先端の技術を開発することで知られているが、その4代目所長に伊藤穰一氏が就任することが火曜日に発表される予定だ」

世界のサイエンスの最先端であり中心でもあるMITメディアラボの所長に伊藤が就く。アメリカでこの決定がいかに驚きをもって迎えられたか、そのことが如実にわかる記事だった。

MITのメディアラボは、『ニューヨーク・タイムズ』が紹介するとおり、ネグロポンテ教授と元学長のジェローム・ウィーズナーが創設した研究所である。その主な財源が企業スポンサーからの拠出によって成り立っているところが、他の大学研究所と大きく異なる。ネグロポンテの世界的ベストセラー『ビーイング・デジタル』は、「アトムからビッ

MITメディアラボ、所長就任当時の伊藤穰一

トへ」のスローガンとともに、ひとときはデジタル革命のバイブルと言われた。またネグロポンテは雑誌『WIRED』の創刊を支えた資金提供者でもある。つまり、IT革命の総本山のような場所と見なされたこともある、そういう場所がメディアラボなのである。

就任の経緯を伊藤がこんなふうに語っている。

「ある日、MITメディアラボの担当者から『所長になる気はありませんか』という電話がかかってきました。驚きましたが、とりあえず、『興味はあります』と返事をしました。何より、学位を持っていない人間を所長にしようと考えているところがとても面白いと思いました。その後、メディアラボで2日間、学生たちや教授陣、職員たちからのインタビューを受けました。彼らとの会話はとても楽しくて、いつまでも続けていたいと思うほどでした。本当に素晴らしい体験でしたね。それで、『僕に声をかけたのは正しい。僕こそが所長になるべきだ』と直感したんです。それからMITの学長に会いました。開口一番、『学位を持っていないそうですね』と言われましたが、面談の最後には『学位は所長になるにあたって特に問題はありません』と言われました。MITはなんて柔軟なんだろうと思いましたね。こうして、理工学系ではおそらく史上初めて、学位を持たない所長が誕生したわけです」

メディアラボに初めて足を踏み入れた時のことを、伊藤はまるで中世の巡礼者がサンティアゴ大聖堂に入っていくような気分だったとも振り返っている。一方、ある種の荘厳さと同時に、人々はみな非常に優秀であるのだが地に足がついていて、「誰もやったことのない何かをやってみよう！」という気概にあふれているとも感じたという。


メディアラボに着任した伊藤は、まず、創造的で重要だが、あまりに先進的すぎるためにベンチャーキャピタルからの資金調達が難しいプロジェクトが数多く存在していることを知る。一方で、こうしたプロジェクトに投資する人は、直接的な利益を求めているわけでもないことも知る。そのため、研究結果はすぐにオープンになってしまう。そこから、伊藤はシリコンバレー流の投資――つまり、短期間で結果を求める投資だけがすべての問題を解決するわけではないことを学ぶ。シリコンバレー的な視点からの問題解決から距離を置くこと。それがメディアラボでの取り組みで大事なことであり、ユニークかつ貴重なことだと伊藤は確信したという。

ＭＩＴでは、学生の学力の養成は政府の助成金を受けた研究所や学部が担うが、メディアラボは企業からの協賛金で運営することにより、独自のプログラムで教育をする。そのため、いかに実用的な成果を挙げられるかが大事になり、理論より実践をモットーとする。加えて、企業が次に求めそうなテーマを先取りして研究を進めることになるので、そこにメディアラボならではの醍醐味が生まれるという。

企業の中には、自分たちの研究方針が間違っていた時のリスクヘッジとしてメディアラボを利用するところもある。たとえば、かつて日本のテレビ業界はアナログのハイビジョンテレビに長い間固執して研究を続けていたが、メディアラボはデジタルであるべきだとの確信のもと、デジタルハイビジョンの研究を進めた。あるとき、その成果を協賛する日本の企業に見せたところ、彼らは自分たちの進んできた道が間違っていたことにようやく気づき、路線を変更したのである。

そんなふうに、多くの研究が企業からの協賛金によっておこなわれ、さまざまな新しい製品、イノベーションの数々がメディアラボから生まれているのである。とはいえ、単なる企業からの委託研究ではない点が、メディアラボのユニークなところだ。伊藤がこう語る。

「ある企業がとても面白いデータを提供すると、それに興味を持った学生たちがあっという間に集まってきて、よってたかって分析するんです。あるいは、別の企業が面白いアイデアを持ち込むと、それを形にしてしまうチームがあっという間にできてしまう。本当にクールなアイデアと本当にクールな企業が出会えば、誰も予想していなかった成果が生まれる。メディアラボとはそういう場所なんです」

学生たちは教師たちに指示されて動いているわけではないし、何かのプロジェクトを始めるにあたって誰の許可も不要だ。ともかく始めるだけ。手を動かすだけ。何かを思いついたら、翌日にはその実現に向かって取り組む。何かが生まれたら次にそれをどうすべきかを考える。そんな研究開発こそが、メディアラボが目指す姿だと伊藤は言う。

先に紹介したニューヨーク・タイムズの記事は、次のように結ばれていた。

「元ゼロックス社パロアルト研究所所長のジョン・シーリー・ブラウン氏は、『伊藤氏のようなグローバルなコネクションを持つ所長がメディアラボには必要だ』と言う。『今、メディアラボが本当に必要としているのは、外部との双方向のつながりを持つことだ。そのためには、ジョーイ以外の適役がいるだろうか』と」

「世界最先端のコンピュータ工学の研究者と、世界最先端の脳科学者が一緒に研究できる環境」(伊藤）であるメディアラボ。このサイエンスの大聖堂をアイデアから財務に至るまで、さまざまな面からリードし、貢献する伊藤の「巡礼」の旅は、２０１９年に所長を退任するまでの９年間続くのである。

Scenes that remain in my mind

心象風景

East Meets West／日本のスタートアップを世界へ

「ここサンフランシスコはマーケット・ストリート717で、DG717をスタートするのは、シリコンバレーへの我々のコミットメントだ！」とオープニングスピーチで私は宣言した。その頃、サンフランシスコのダウンタウンのマーケット・ストリートに、DG717という〝日本と米国〟を繋ぐ〝インキュベーションスペース〟をオープンし、〝Onlab発の企業を世界へ〟というコンセプトで活動をはじめ、今日へと続いている。DG717は、ツイッターやLinkedIn等のジャパンエントリーのサポートのゲートウェイとしても機能した。オープニングイベントでは、麻生太郎副総理のビデオメッセージからはじまり、シリコンバレーからは当時のサンフランシスコのエドウィン・リー市長など、多数の方に参加いただき、11月5日はサンフランシスコのDigital Garage Dayとするという粋なプレゼントも頂戴した。

私自身が、一経営者、また投資家として思うのは、〝事業はやはり人〟である。起業家の人間性や志の高さ、情熱が第一義である。素晴らしいテクノロジーや使い切れないほどの資金を手にしながら、消えていったスタートアップや創業者を過去25年の日米の経験でたくさん見てきた。「IT創業者として上手く立ち回って、手っ取り早く金持ちになる」……そんな志の低い経営者は、ことごとく消えていった。

「今、考えている事業でどう世界をよい方向に変えられるのか！」「そのミッションは、中長期でどのように社会貢献できるのか！」

お金儲けの前に、そこが創業の原点であるべきだと確信する。

公開会社の駆け出しの社長として壁に突き当たった少し前の自分は、戦後の混乱から徒手空拳で起業した経営の先輩たちから学ぼうと思い、絶版となった「私の履歴書（日本経済新聞社）」をすべて読破して、先達の苦労を自身に重ねたりした。〝真理は錆びない〟からだ。

――林郁

マーケット・ストリート717番地にて

世界を舞台に勝負したいと考える起業家の育成を目的に、カカクコムとネットプライスドットコムとの共同で２０１０年に立ち上げたのがOpen Network Labだった。それは大学を卒業してすぐ自ら会社を興した起業家である林の願いであり、ノウハウを伝えたいという使命感からでもあった。

日本市場に最適化するあまり、世界市場に打って出たころには世界の流れからは外れてしまい、海外のスタートアップ企業に太刀打ちできずに終わるという例を多く見てきた林たちは、まずは起業当初から世界市場を目指す意図と戦略が必要ではないのかと考えていた。このために、林や伊藤だけでなく、シリコンバレーで活躍する起業家たちをメンターとして招き、アドバイスを仰ぐことができ、同時に起業に必要なさまざまなことが学べるプログラムを用意し、育成・支援していくことが大事だと考えたのだ。

２０１０年6月に募集を締め切った第１期起業家育成プログラムには、40チーム以上の応募があり、その後も、募集のたびに応募数は右肩上がりに増えていった。

Open Network Labの成果はやがて目に見えるものとして結実していき、たとえば、プログラム終了後にサンフランシスコでエニーパーク社を起業した福山太郎氏は、中小企業向けに福利厚生サービスをパッケージで販売するというビジネスで大きな話題を呼び、現地の「シリコンバレーでもっともクールな１００人」に選ばれた。また、車椅子をベースにした次世代型一人乗り移動装置を開発するウィール社もシリコンバレーに拠点をおくことで、世界から大きな注目を浴びたのだった。

そんなふうに、Open Network Labを順調に軌道に乗せることができた林は、インキュベーション事業の展開をさらに世界規模とすべく、２０１３年11月、「東と西、違う文化が出会う時にこそ、新しい何かが創造される」というコンセプトを掲げ、サンフランシスコにインキュベーションセンターとして「ＤＧ７１７」なるスペースをオープンするのである。

サンフランシスコ中心部の目抜き通り、マーケット・ストリートの７１７番地。瀟洒なビルを改装して作られた「ＤＧ７１７」は、１階には２階まで吹き抜けの、白を基調としたコワーキングスペースが広がり、

DG717オープニングセレモニーでのサンフランシスコ市長、エド・リー氏と林郁。当日を「Digital Garage Day」と設定していただいた

テーブル単位で有望なスタートアップ企業に貸し出される。2階は、デジタルガレージの海外子会社であり、1階に入居するスタートアップ企業を支援する役目を担うネオイノベーション社（2016年ピボタル社と事業統合）やニューコンテクストサービシーズ社（2021年コパド社と事業統合）などが入るオフィススペースとなっている。クールなデザインの椅子やデスクがズラリと並んだ1階のスペースには、イベントスペースやアートギャラリーもあり、さまざまなワークショップやイベント、ファッションショーなども開催できるように設計されている。

「DG717」のオープンは現地の期待度も高く、11月5日のオープニングセレモニーには、サンフランシスコ市長のエドウィン・リー氏も訪れてスピーチをおこない、この日を「デジタルガレージの日」と宣言した。なお、「DG717」のコンセプトを表現したショートムービーの音楽は坂本龍一氏が作曲、提供し

East meets Westをコンセプトとしたオープニングセレモニーの楽曲は坂本龍一。鏡開きから三味線や書家によるパフォーマンスやDJ、ライブで盛況だった

てくれた。

東西の文化交流の場、そして新たなインターネットビジネスの基点を目指すこの「DG717」は、Open Network Labの参加チームにはオフィスとして提供される。「DG717」を利用することで、参加チームは、米国西海岸で活躍する起業家の息吹を直接肌に感じつつ、ここをスタートアップの拠点として開発やマーケティングを行うことができるのだ。

サンフランシスコのど真ん中に位置するこのスペースは、いまもサンフランシスコのスタートアップシーンにおいてその存在感を増し続けている。

テクノロジーの進化、変化にともない、この地に集まるスタートアップも変遷している。パンデミック直前までは世界中のビットコイン関連の技術者たちがミートアップやカンファレンスで集うメッカであった。現在、パンデミックの渦の中、DGUSの社長として三橋拓樹が家族とともに米国に着任した。アフターコロナ時代を見据えた、「DG717」の新しいステージが始まろうとしている。

イベント仕様でのDG717での風景（通常はオフィススペース）。最近はビットコイン関連のイベントのメッカだ

Scenes that remain in my mind

心象風景

ESGへの流れ／グローバルエコシステムへの投資へ

インターネットビジネスの世界は不思議だ！　世界中のどんな創業者、VCインキュベーターと会っても、ある程度の会話やピッチだけで気脈が通じ合うように思う。まるでイルカ同士がコミュニケーションをしているように……（以前、イルカに関するマルチメディアソフトをプロデュースしたが、彼らは中脳の〝メロンブレイン〟という器官で、音だけでなく、映像までやりとりしている。まるで水中の5Gネットワークだ）。インターネットの海で出会ったそんな仲間たちを、〝グローバルインキュベーションストリーム〟と名付けた世界的なネットワークができていた。

現在は、インドを中心とするエマージンググロースマーケットを対象に大活躍しているBEENEXTの佐藤輝英氏や、スカンジナビアンのファウンダーたちをネットワークし、直近ではESG/Social Impactにおけるスタートアップ支援もやっているbyFoundersのエリック・ラジェに加えて、香港でAI関連を中心に頑張っているアダム・リンデマン、NYで著名なインキュベーターで資本提携もしたBetaworks、シリコンバレーではEvernoteの創業者フィル・リービンのAllturtlesや、初期から有力投資家SV Angelや500 Startupsなどへも投資している。一番最近では、製造業を中心にＤＸ化が遅れている産業を変革するベンチャーで、シカゴのBuilders VCがある。

テクノロジーの進化や時代の流れとともに、米国ではシリコンバレーからシカゴやテキサスに起業家が移動し、アジアでは中国に続き、インドに投資の重心が移っているように見受けられる。ヨーロッパでは、ブリグジット後の新しい潮流や北欧のＥＳＧの潮流を感じる。

こうしたスマートな投資家たちとの出会いは、「投資と海外展開」のグローバルエコシステムの要のネットワークとなっている。また、事業だけではなく私の人生の地球視点での視座ともなった。

現在のデジタルガレージのＩＴセグメントは、日本のベンチャーキャピタル業界として見ても、DG Labファンドは総額２００億円を運用し、ＤＧＶからの直接投資の株式価値は約600億円（2021年6月末現在）まで成長し、シードアクセラレーションプログラムOpen Network Labからの起業数は130社となり、日本のVC投資の一翼を担うインキュベーターへと成長した。

——林 郁

海外の有力VC、インキュベーターをネットワークした「DGグローバルインキュベーションストリーム」

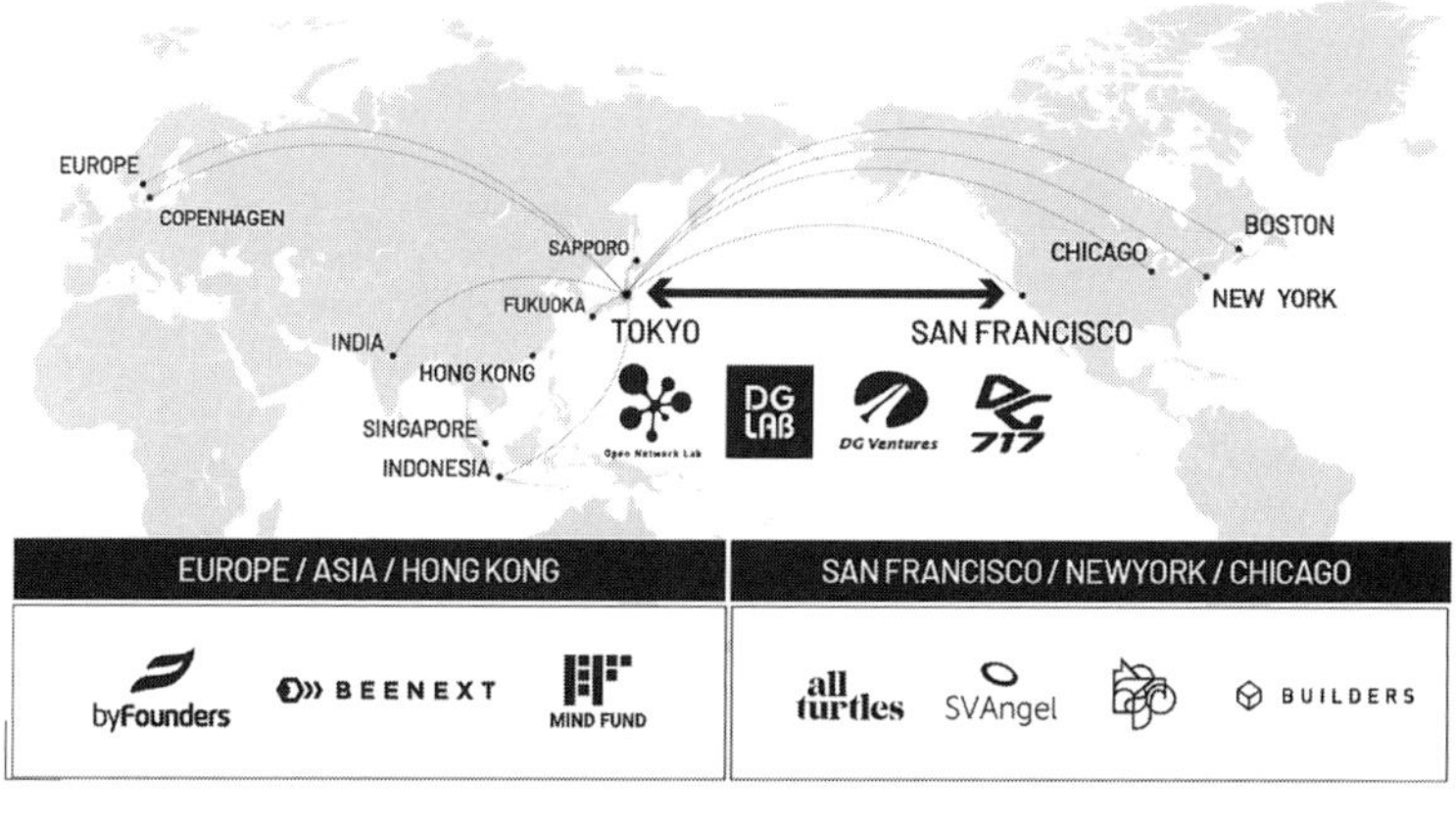

IT（投資セグメント）の国内・海外でのトラックレコード

まずはデジタルガレージのトラックレコードを見てみよう。

海外でのエグジットには、Twitter、Facebook、LinkedIn、Twillio等、現在のSNSのパイオニアとなった錚々たる企業が並ぶ。国内では、メディアドゥ、クラウドワークス、弁護士ドットコム、グッドパッチ等、いまではそれぞれのカテゴリーを牽引する日本の主力IT企業へと成長した企業群だ。Onlabからは、すでにIPOを果たしたgifteeに続くべく、日本で6番目のユニコーンになったSmart HR、次世代電動車いすで世界で名が知られているWhillなど、やはり力のある起業家たちの名前が並んでいる。また、これから期待が大きいスタートアップとして、行政でも社会課題になっている相続登記のDXに取り組むAGE technologiesには、DGからも大きく出資を行い、事業化に向けた支援を強化している。

アジアでは Tokopediaに続き、次のビッグウェーブとなりそうなのが、Sendo（ベトナム）、Droom（インド）、Gojek（インドネシア）である。また、米国では、BlockStream（暗号通貨）、MX（Fintech）と、ユニコーン企業群たちが連なっている。

こうした状況に拍車をかけているのが、空箱上場ともいわれているSPAC（特別買収目的会社）上場である。コロナ禍の過剰流動性と相まって、コロナ以前では想像できないようなスピードで、ベンチャー企業を取り巻く世界的な潮目が変わりつつある。

こうしたアジアの主力プレイヤーに育った企業の中には、デジタルガレージグループが日本国内で培った決済事業のノウハウを、アジア市場に実装していく中から生まれた企業もある。当初合弁で設立した現地法人PT Midtrans（VeriTrans Indonesia）である（PT Midtransはインドネシア配車サービス最大手Gojek Groupの傘下に入り、オンライン決済事業の成長を更に加速させている）。

他にも、インドネシア最大のオンラインマーケットプレイス事業を手がけるTokopedia、ベトナム最大級

デジタルガレージグループの投資セグメントのトラックレコード（2021年6月現在）

のC2C・B2C向けマーケットプレイスを運営するSendoは、日本のEC決済事業のノウハウをベースにした合弁会社から始まっている会社群だ。

北米戦略展開の進行、グローバルインキュベーションの加速

サンフランシスコの拠点DG717を足がかりに、北米での投資展開も着実に推進している。

2014年には、米国で有数のスタートアップ支援スタジオとして注目を集め、スタートアップ企業の立ち上げとアーリーステージでの投資を組み合わせたビジネスモデルを他社に先駆けて築きはじめていたBetaworksに出資し、海外および日本のスタートアップ育成事業について業務提携を締結した。

Betaworksのスタートアップ支援スタジオからはその時点で、Bitly（短縮URLサービス）、Chartbeat（Webサイトの動的分析）、DOTS（グラフィカルなゲーム）、Digg（ソーシャルブックマーク）、Giphy（アニメーションGIFの検索）が生まれていた。さらに、最先端のツイート検索エンジンを開発したSummizeや、Twitterのヘビーユーザー向けクライアントアプリを手がけるTweetDeckへの開発支援を行い、その後

Twitterに2社を売却したという実績を持ち、投資先として、AirbnbやPinterest、Rap Genius、Kickstarterといった優良なスタートアップ企業をポートフォリオに抱えていた。Betaworksには RREやIntel Capitalといった大手VCが出資をしているほか、Twitterの創業者やYahoo!の創業者、Salesforceの創業者といったシリコンバレーの有力な人材が出資者として名を連ねていた。

デジタルガレージとBetaworksは業務提携をベースに、互いに投資先企業や戦略パートナー企業を紹介し合うことなどを通じて、アジア展開への協力や、Open Network Labの活動にBetaworksがアドバイザーとして協力することなどが開始された。

2015年には、フィンテックの最先端市場である米国で業界トップシェアを誇る、金融機関向け個人資産管理ツール大手の米MXへの出資を実施。銀行などへの利用促進を通じて、日本展開の支援に向けて連携を開始した。

さらに2017年、バイオテクノロジーとITが重なる、次世代バイオ分野(Biotech2.0)で事業を手がけるスタートアップ企業を対象とした、投資および事業育成を行うインキュベーション事業に本格参入。その一環として、最先端のバイオテクノロジー分野においてインキュベーション事業を手がけるPureTech Healthとの業務提携を結ぶなど、米国での展開を一層加速していった。

同年、北米とアジアの投資事業強化を図るため、香港や米国シリコンバレーで投資活動に従事してきた有力投資家のブライアン・イエを海外投資担当の執行役員に迎え、デジタルガレージグループの投資ビークルの増強を図った。

近年は、米国投資先企業の活躍がさらに目覚ましい。格安ＥＣプラットフォームWishを運営するContextLogicがＩＰＯを実現。また、アパレルリサイクルプラットフォームを展開するThredUP、自動車用半導体・ソフトウェアプラットフォームを提供するindie Semiconductor、米国最大の暗号資産取引所を運営するCoinbaseなど、ＤＸ／フィンテック分野におけるデジタルガレージグループの投資先が、ユニコーンやユニコーン予備軍として躍進を続けている。

DG Labファンド、大和証券グループとの投資事業連携　２００億円規模のファンドへ

２０１６年、大和証券グループ本社とともに、次世代技術を有するスタートアップ企業を対象とした投資ファンド「DG Lab１号投資事業有限責任組合」（DG Lab ファンド）を立ち上げた。オープンイノベーション型の研究開発組織DG Labとの連携を前提とした

ファンドだ。

DG Labが研究開発の重点領域として掲げる「ブロックチェーン」「人工知能」「ｘＲ」「セキュリティ」「バイオヘルス」の5分野を、DG Labファンドにおいても投資対象領域とし、これらの分野における国内外の有力なスタートアップ企業への投資を実行するかたちをとった。

DG Labファンドは、北米と日本、アジア、欧州をつなぐグローバルネットワーク（グローバルインキュベーションストリーム）をはじめとする、デジタルガレージグループが保有する世界中の豊富なディールソースから投資先を選定することが可能なため、グローバルな視点で優良なスタートアップ企業を峻別して投資し、投資リターンの最大化を目指すこととした。

これらの優位性を最大限に活かすよう、数多くの実績とノウハウを持つ大和証券グループがファンド運営を担った。DG Labファンドは国内外の企業から注目を集め、ＬＰ出資企業が集った。

展開を継続する中、２０１９年にはDG Lab2号ファンドを組成。ＬＰ企業には、エーザイ、カカクコム、ＫＤＤＩ、損害保険ジャパン、大正製薬、竹中工務店、ＴＳＩホールディングス、ハンファ資産運用、三井住友信託銀行など、複数の国内外有力企業が集まり、1号、2号をあわせ約200億円のファンドにまで成長した。

DG Lab 1号、2号ファンドは、組成以降、着実に投資実績を積んできている。DG Lab 1号ファンドでは、世界初のゲーム型デジタル治療用アプリを開発し、米国食品医薬品局（FDA）承認を取得した米国Akili Interactive Labs, Inc.や、エッジコンピューティングに取り組み、今やグローバルでも評価されるIdeinなどの支援を実施した。

また、5章で詳しく述べるが、DG Lab 1号ファンドの投資先で、ブロックチェーンの基盤技術を開発するBlockstreamと、DG Lab 1号ファンドの投資家である東京短資との合弁で設立した株式会社Crypto Garageが、2020年6月より商用サービスを開始していることも本ファンドの成果の一つだ。そんなふうに、DG Lab 1号、2号ファンドを通じ、国内外における数多くのスタートアップ支援をグローバルで展開してきているのである。

グローバルインターネットコミュニティとデジタルガレージ

まずこの投資におけるバーベル戦略の概要を見て欲しい。

デジタルガレージは、2つの重点領域として、左側のスタートアップからアーリーステージ、そして右側のレイターステージを設定している。また、投資会社としての顔と同時に、グループ内の決済事業セグメント、マーケティングセグメント、LTIセグメント（メディア事業）という、2つの顔を持つユニークな企業群でもある。つまり、投資家という顔と、事業会社という顔の、両利きの経営を実現している。投資リスクを取りながら、ジャパンエントリーのパートナーとなって、日本での事業の垂直の立ち上げを実現しているのである。

ソーシャルネットワークがその影響を広げる中でのTwitterやLinkedInなどへの投資と日本での事業展開支援、直近ではブロックチェーンのサイドチェーン技術を持つBlockstream社への投資と、同社と東京短資との合弁会社であるCrypto Garageを通じて日本とグローバルをつなぐ暗号資産決済事業の展開である。

また、スタートアップへの投資熱が高まってきている現在は、起業家が資金調達のさまざまなオプションを持てるようになってきている。高い成長性の見込める事業には多額の資金が集まり、スタートアップにとって事業を立ち上げる環境は格段に向上しつつある。

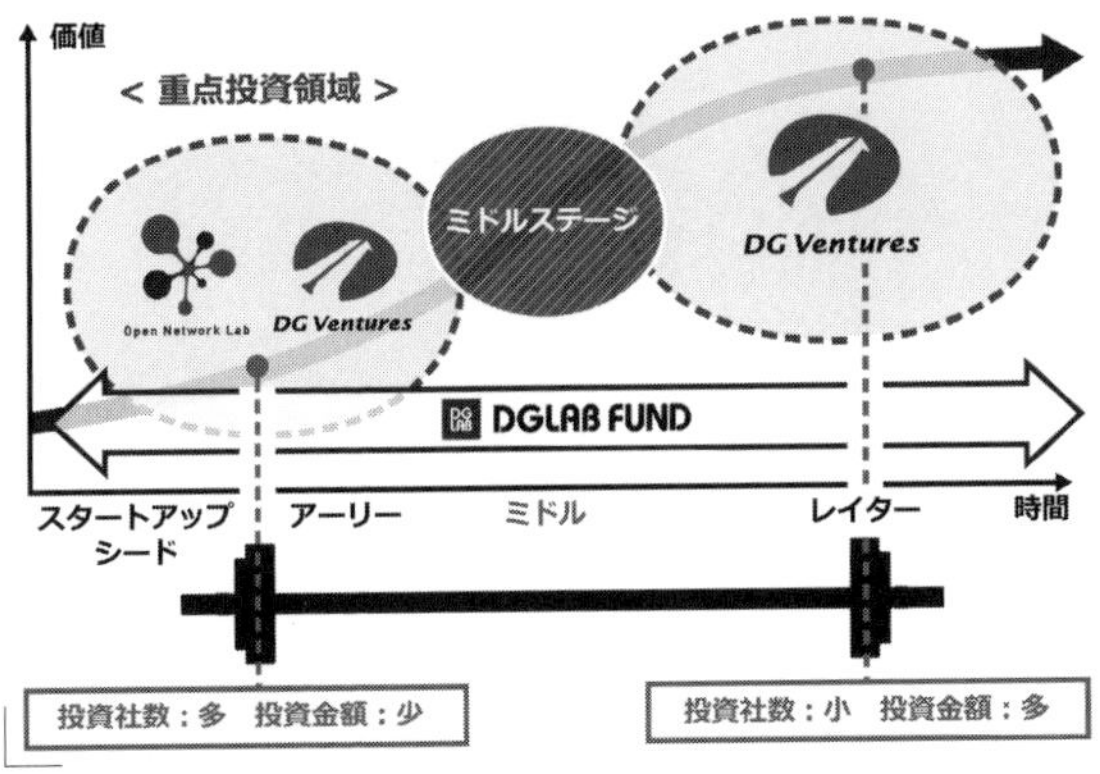

デジタルガレージの投資セグメントのバーベル戦略概要図

以前とは違い、投資家が起業家に選別される時代がはじまっている。金融の過剰流動性のなか、選ばれるパートナーは資金の有無よりも、事業ノウハウやネットワークのクオリティに軸足が移りつつある。加えて、米国ではシリコンバレーからテキサス、シカゴへとスタートアップの大移動が起き始めている。アジアに目を向けると、中国一辺倒の時代から、インドを中心としたエマージンググロースと言われる国々へとVCの潮流が変わりつつある。また、国内に目を向けても、かつて渋谷がビットバレーと呼ばれた不思議な熱狂の時代があったが、現在は渋谷一極集中ではなく、デジタルガレージが関わっているプロジェクトでも、福岡、札幌など、特色のある地方の有力都市と大学や産業が一体となったアメリカ型のインキュベーションの形が生まれつつある。

デジタルガレージが25年以上の時間をかけてネットワークしてきたグローバルインキュ

渋谷パルコDGビル18階カンファレンスホール「Dragon Gate」。日本を代表する画家 故加山又造氏の代表作品である「龍の天井画」が掲げられる

ベーションストリーム。国内で、そして海外で、デジタルガレージもまたインキュベーションの海を泳ぐイルカの群れの一員として、東京（渋谷パルコPangaea）とサンフランシスコ（DG717）をメインゲートウェイにして、グローバルインターネット社会への貢献を続けていく。

渋谷パルコの屋上でDGオフィススペースの1階に位置するオープンイノベーションスペース『Pangaea』。2021年秋からは、スタートアップのライブ放送やラジオとの連携が予定されている

CHAPTER 4

森を見て木を見よ
次世代のファーストペンギンたちへ

Onlab（Open Network Lab）と
NCC（New Context Conference）

Scenes that remain in my mind
心象風景

権威を疑いながら、世界の潮流を見て、機敏に日本人として行動しろ！

インフォシークの一件で別々に行動していたＪｏｉから、確か２００４年だと思うが、ブログポータルのTechnoratiの日本展開の件で連絡があった。

その後、デジタルガレージの創業の時と同じような感覚で、どちらからともなくまた、一緒にやるようになった。その時のＪｏｉは、ベンチャー投資家というよりむしろ、世界中のインターネットカンファレンスを飛び歩く、世界のサイバーエリートの中心人物のような存在になっていた。

そんなＪｏｉと、２００５年からは、Ｊｏｉ独特の目利きでシリコンバレーを中心としたインターネットの潮流を日本に紹介するThe New Context Conferenceというイベントを日本のインターネット文化育成のために慶應大学の村井純先生などの協力を得て、デジタルガレージのイベントとして現在まで続けている。

過去、Wikipediaのジミー・ウェールズ、LinkedInのリード・ホフマン、Twitterのビズ・ストーン、Blockstreamの共同創業者でブロックチェーン業界の中核を担うアダム・バック、

Creative Commonsの創設者ローレンス・レッシグ等々、第一線で活躍するグローバルインターネット文化を牽引する方々に来日、参加していただいた。
今年のテーマはWhole Earth Catalogの創刊者スチュアート・ブランドを軸に、Earthshotというコンセプトのもと、河野太郎さん、小泉進次郎さん、平井卓也さんをはじめとした日本の中心の政治家の方、村井先生等のグローバルインターネットを代表するオピニオンリーダーで、ESGの時代の次世代テクノロジー、DXやガバナンスのあり方を議論する。

これは世界の潮流について日本のインターネットの次世代の人たちに【インサイト／気づき】を持ってもらおうというのが最初の狙いだった。
（この頃IRをしていた時に、「ソフトバンクはタイムマシン経営で面白いものがあったら誰にも言わないで投資して日本に持ってきているのに、なぜデジタルガレージはこんな大切な情報をみんなに教えるのか？」と言う投資家がいた。もともと、自立・分散・協調するインターネットの哲学はいわばオープンソースだ。ともすると、国内動向やテクノロジーのトレンドばかりを気にしがちな日本のインターネット業界に、世界の最新潮流やそこを支える哲学を伝え、化学変化を誘引し、第一世代のファーストペンギンとして次世代

に貢献しようという思いがあった)

同じような考え方で「日本のスタートアップを世界へ」というコンセプトで、日本で最初のシードアクセラレーションプログラム、「Open Network Lab」を、カカクコムと当時ネットプライスドットコムの創業社長佐藤輝英さんにも参加オファーをして、2010年からはじめた(その後佐藤氏は、BEENEXTとして、インドを中心としたアジアのエマージンググロースのベンチャーキャピタリストとして大活躍している)。

すでに11年経ったいま、132社のファーストペンギンが巣立ち、gifteeやFRIL(現ラクマ)等々IPOやM&A、また、SmartHR、AnyPerk(現fond technologies)やWHILL等、ユニコーンとなった企業やシリコンバレーへと羽ばたいていった仲間ができ、卒業生のコミュニティも活性化している。また、『Pitch』という本では我々が11年をかけて作ってきたスタートアップのノウハウ(デジタルガレージのIPを公開したようなものだ)を惜しみなくオープンにしている(初期の中核メンバーは、現在D2 Garage社長の佐々木智也君、そして第2世代は松田信之君が、プログラムの運営としては一貫して有山百恵さんたちが活躍してくれている)。

思えば日本のインターネット第1世代として、２００５年からデジタルガレージは次世代育成に着手していたともいえる。

また、そもそもインターネットは性善説に基づき、自立した個々の「ノード」が「分散」し、「協調」することで形作られる。デジタルガレージは、時として孤高や利他も是としてきた。ビットバレー等の悪戯にＩＴ業界と投資家だけでできあがった一過性のブームや、投資リターンだけを目的とした安易な投資や提携とは、一線を画してきたように思う。

分散しながら共振して動くというデジタルガレージのグループ経営哲学や、社会に貢献する【コンテクストカンパニー】という創業のミッションも、オープンソース型・性善説型企業デジタルガレージの、少し青臭いが同じＤＮＡだといえるような気がする。

——林郁

Open Network Lab

日本のインターネット業界に森を見る仕掛けとして立ち上げたNew Context Conferenceと並行して、林と伊藤は木を育てる仕組みを考え始めていた。それが、シリコンバレーに比べてまだ日本では若い人による起業が少なかった2010年に立ち上げた、日本初のシードアクセラレータープログラム、Open Network Lab（オンラボ）である。当時、スタートアップを支援するインキュベーターや、メンターと呼ばれる企業や人材は一握りしかおらず、起業に関するノウハウはごく少数のコミュニティでしか流通していない状況だった。

一方、米国ではインキュベーションやシードアクセラレーションといった若い人の起業を支援するスタートアップエコシステムが整い始めて、ドットコムバブル後の新たなシリコンバレーのスタートアップの潮流が生まれていた。

林と伊藤は、アメリカで若い人たちがいきなり起業し、またたくまに大きな成功を収めるのを目の当たりにしていた。

「日本では一流の大学を出て霞が関や有名大手企業に就職して……と誰もが安定を求めて

いた時代でした。でも、アメリカではハーバード大学やスタンフォード大学や大学院出身者が、いきなり起業してYahoo!やGoogle、Facebookをつくっていたのです。驚くことに、アメリカでは田舎に住む高校生でも〝世界を変えてやる〟と本気で思っているんです」(林)

日本とアメリカの未来を生み出す若い人たちの情熱や冒険心の差を感じた林は「トライアンドエラーで新しい次の産業を生み出していくアメリカのようなベースがつくれないか」と考えはじめていた。この気づきがオンラボの土台になった。

とはいえ、支援する事業アイデアやサービスの中には、当然ながら実現されないものもある。それこそ、トライアンドエラーの繰り返しだ。それでもやり続ける理由は、林の若いころの原体験にあった。

Open network lab立ち上げ当時。伊藤と参加スタートアップ（PIRIKA小嶌、Voyagin高橋、Fond technologies福山たちの初々しい一コマ）

「僕自身、20代の頃、先輩起業家たちから『頑張っているから応援してやろう』と助けてもらった経験が何度もあります。だから今、僕も同じように若い人たちに同じことをしているだけなんです」(林)

林と伊藤のこのような日本とシリコンバレーでの経験をもとに、「世界に通用するスタートアップの育成」を目指してスタートしたのがオンラボなのである。

2010年に最初のプログラムを立ち上げて以降、地域や領域に特化したオープンイノベーション型のプログラムも拡大し、2021年現在、のべ30回（姉妹プログラム含む）のプログラムを開催し、150社以上のスタートアップを輩出。その中から複数の企業が上場を遂げ、あるいはユニコーン、グローバルに活躍している。

また、上場や買収などでイグジットした卒業生が、出資をしたり会社を新しく立ち上げたりして、改めてオンラボの扉を叩く〝オンラボの2世スタートアップ〟も生まれてきている。

2021年からはESG分野に特化した新たなプログラムとしてOnlabESGを立ち上げ、さらにOnlab採択とESG分野のスタートアップに投資を行うEarthshotファンドを設立し、北米や欧州と連携したグローバル視点でのESG分野のスタートアップに投資・育成する体制を整え、ＥＳＧ分野への取り組みを強化している。このように拡大発展してきたOnlabが持つ特徴と、10年を超える歴史をここで振り返ってみたい。

オンラボの特徴と歴史

オンラボの特徴として、そのスタートの背景から、一般的なＶＣでは投資しないようなスタートアップを採択し、投資していることが挙げられる。

たとえば、まだＩｏＴが注目されていない時代に採択したWHILLはその象徴だろう。WHILLは、脚が不自由だったり、遠距離を歩くのが困難な人たちがかっこよく移動できるパーソナルモビリティを提供している。一般的にハードウェアを手掛けるスタートアップは、ソフトウェアに比べ量産化までに時間がかかったり、原価率が高く収益化が難しいが、オンラボでは、WHILLの革新的なコンセプトにはエンドユーザーの需要があり、なんといっても車椅子のあり方を変える可能性があると考え、採択している。

WHILLに対しては当時、「マーケットもないし、車椅子のスタートアップ？　そんなのダメですよ」という声もあったが、シリコンバレーの名門アクセラレーターの500 Startupsに採択され、その後も順調に資金調達を重ね、大きく成長していることは周知である。

　また、今ではあたりまえになっている「社会課題の解決」についても、スタート当初より視野に入っていたこともその特徴である。

　オンラボがスタートした２０１０年頃はまだ、起業という選択肢はごく一部の新進気鋭のチャレンジャーのものという位置づけで、右も左もわからない状態でまずはアイデアをベースにプロダクトを作ってみようという起業家が多かった。スマートフォン普及率もまだ５％に満たない状況で、アプリといえばガラケーであり、ＬＩＮＥはもちろん、メルカリやinstagramといった、

オンラボの実績と採択スタートアップの分類

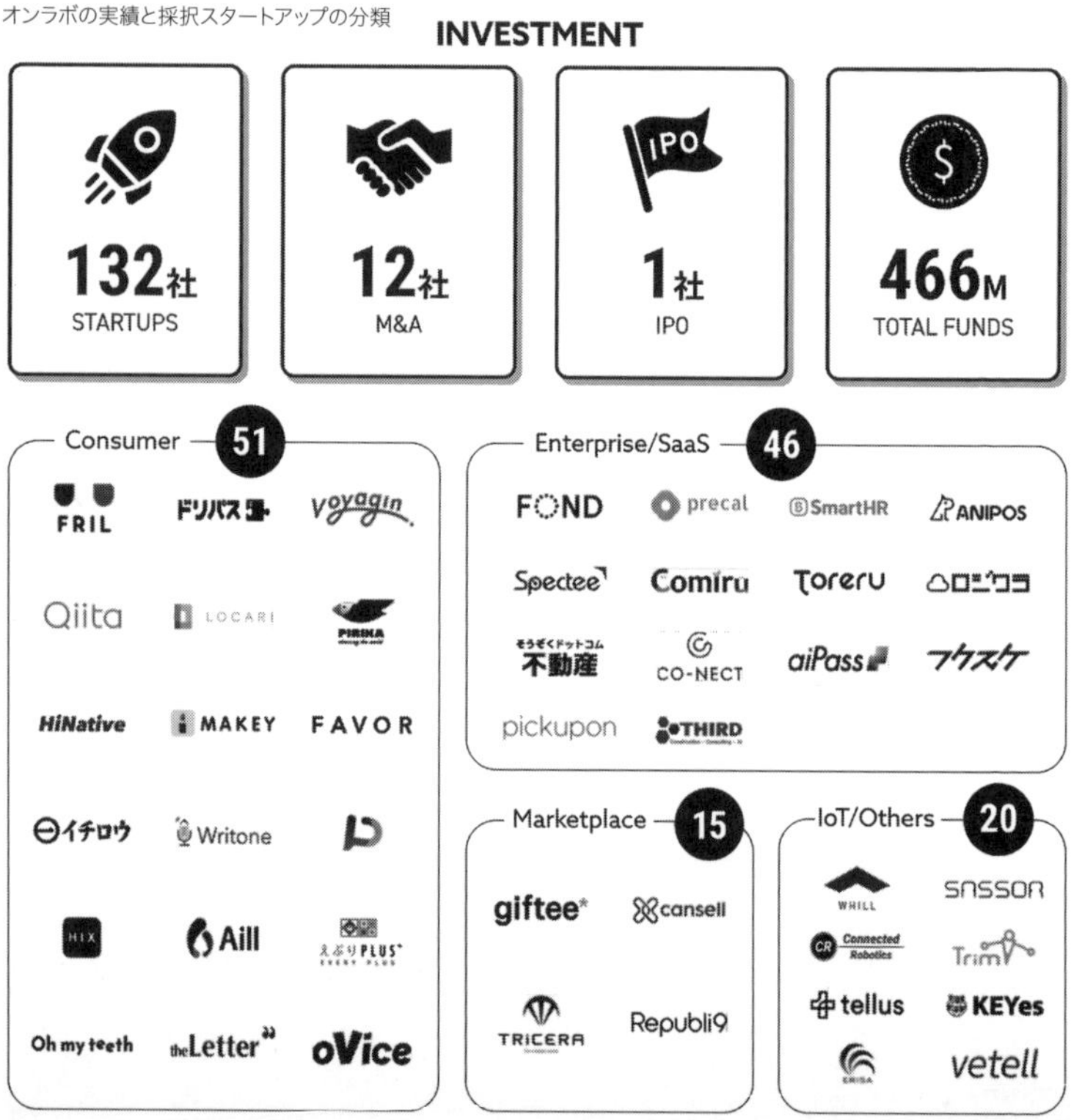

今では誰もが使っているアプリがまだ存在しない時代である。

この当時は、メディアビジネスが隆盛を極めており、記事を量産してＷｅｂページに消費者を集めてＰＶを稼ぎ、いかにマネタイズするかを競っていた。オンラボでは、こうした画一化しつつあったビジネスモデルの先を見据え、今まで存在しなかった価値の流通や、ユーザーが直面する不便さに対して、新しいサービスで真正面から取り組むことによって、世の中の課題の本質的な解決を目指していた。

たとえば２０１６年に楽天に買収され、現在はラクマとなっているフリマアプリのFRILは、ターゲットにしていた若い女性に対する徹底したヒアリングにより、従来の不用品の売買という個人間取引の常識から、流行に敏感な若者たちがブログで最先端の情報を発信しながら服やアクセサリーを販売するという、消費者間で生まれていた新しい売買の潮流を捉え、当時急速に普及し始めていたスマートフォンをプラットフォームに採用した簡単にお

DG CAMP KAMAKURAでのメンタリング中のプログラムに臨むOnlabメンバー

しゃれな品を売買できるフリマアプリを開発した。当時はガラケーからスマホへの転換期であり、Webを主体としたサービスが成熟すると同時に、そこでは満たせない新たなニーズが生まれつつある時代でもあった。

一方、スマートフォンの普及と歩を合わせるかのように、2010年から社会は大きく変化していった。2020年には携帯電話のうちスマートフォンの比率がついに9割を超えた。象徴的な変化の一つは東大生の国家公務員離れであろう。2010年当時は国家公務員試験合格者のうち3割以上を東大生が占めていたが、2021年には17%と半減している。こうした事例を筆頭に、エリート大学生が官僚や大企業に就職することが当たり前という前提が崩れ、スタートアップへの就職や起業といった選択が多くの若者に広がる兆しが見えてきた。

オンラボにもその兆しは訪れており、採択スタートアップの中に東大生起業家によるものが増えている。たとえば、東大獣医学部在学中にペット関連サービスで起業したparnoviや、同じく東大在学中に起業した広告事業のPalledAdなどである。こうした学生起業家によるスタートアップは、2000年代初頭に多かった家庭教師派遣ビジネスやWebページ制作サービスといった学生視点のビジネスではなく、深い専門性を活かしたり、業界課題に着目したビジネスで起業している点が特徴的であり、スタートアップシーンが成熟しつつあることの例証である。この傾向は東大生に限らず、いわゆるエリートと呼ばれるプロフェッショナル職からその専門性を武器にした起業や、グローバル企業での事業経験をベースにしたまったく異なる業界での起業など、これまでの常識的なキャリアから飛び出した起業家が増えている。

また、２０２０年からは、COVID-19による社会変化からの起業も増えている点は特筆すべきだろう。このように、スタートアップへの転身に至る道筋が多様化しており、オンラボで毎年数百社の起業家と会う中でも、その層がより厚くなっていることが感じられる。オンラボでは、獣医師によるペット保険ＤＸ事業のアニポス、グローバルブランドでの特殊なロジスティックスのノウハウを武器にアートの越境ＥＣを立ち上げたTRiCERA、アフリカ滞在中にCOVID-19の影響で帰国できなくなった経験からサービスを作ってしまったバーチャルオフィスサービスのoViceといった個性豊かなスタートアップが卒業し、順調に資金調達を重ねている。

シードアクセラレーターとは

シードアクセラレーターは、2006年にスタートアップが集まるシリコンバレーで生まれた新しい事業スタイルで、「種子（シード）＋加速（アクセラレート）」という言葉の通り、立ち上げ間もない事業の成長を加速させることを目的とするプログラムである。

公募形式をとっており、多数のスタートアップから有望な少数のチームを選抜し、少額の出資と事業を拡大させるためのさまざまなノウハウや機会を提供することで、スタートアップの成長を一気に加速させている。

たとえばオンラボでは、毎期世界中から150社前後の応募があり、その中から5〜8社程度を採択している。採択率を計算すると数％程度と、非常に狭き門といえるだろう。

シードアクセラレーターの対象となる企業は、ベンチャーキャピタル等から出資を受けた資金を活用して、最速の手段で事業を拡大させ、数年後の上場や売却を狙うベンチャー企業、つまりスタートアップである。スタートアップの事業拡大は、資金の集め方や求められる事業成長スピードなどの観点で、大企業や中小企業のそれとは異なる経営ノウハウが必要であり、成功経験者も少ないことから、ごく一部の起業家コミュニティしか成功するためのさまざまなノウハウを有していない特殊なものであった。

日本から数多くのスタートアップを輩出し、成功させるためには、なるべく多くの起業家がスタートアップの成功ノウハウにアクセスできる環境が必要であり、それを担うのがシードアクセラレーターである。シードアクセラレーターがスタートアップに提供しているものは多岐にわたるが、中でも重要なのが、「資金」、「事業の検証」、「ピッチ」の3つである。

資金

立ち上げ初期のスタートアップの多くは、銀行やベンチャーキャピタルから資金の提供を受けるのが難しく、起業家自身の創業資金を切り崩しながら事業プランを練り、見ず知らずの若者に多額（数百万円～数千万円）の資金を提供してくれる稀有な存在を探し回らなければならない。シードアクセラレーターでは、優秀な起業家やビジネスアイデアに対してスピーディーに出資することで、初期の資金調達の時間を一気に短縮し、起業家が事業の立ち上げに集中できるようにしている。

事業の検証

資金の次に必要なのが事業の検証である。前述の通り、シードアクセラレーターは競争を勝ち上がった〝すばらしいビジネスアイデア〟を持つスタートアップを採択しているが、ほとんどの場合、そのビジネスアイデアはそのままでは成功には繋がらない。

なぜなら、起業家自身が考えている〝世界で最高のサービス〟と、世の中の多くの人がお金を払ってまで欲しいニーズの間には大きなギャップが存在することがほとんどだからである。グローバルでスタートアップのリサーチを行っているCBInsightがスタートアップの事業が失敗する原因に関する調査レポートを公開している。その結果を見てみると、原因の1位は「そのサービスには市場がなかったから」であり、他の理由を圧倒している。

起業家は自らのビジネスアイデアを客観的かつ論理的に分析して生み出したアイデアだと確信していて、その自分の〝最高のアイデア〟に対して多かれ少なかれ恋をしている。だからこそ、採択率数パーセントの競争を勝ち抜くだけのレベルの高さや熱意、情熱を持っているのだが、同時に、〝恋は盲目〟の言葉通り、アイデアの裏に潜む落とし穴に気づいていない可能性が高いのである。

オンラボを卒業し、2021年に日本で6番目のユニコーンとなったSmartHRも例外ではなかった。オンラボで採択された当初のビジネスアイデアは現在のSmartHRとはまったく異なる内容だったが、徹底的なユーザーニーズの検証を繰り返し、9回の失敗ののちに生み出された10番目のビジネスアイデアが現在のサービスである。SmartHRの宮田社長はこの時の経験を顧みて、「うまくいく人といかない人の違いは、あきらめたか、あきらめなかったかだ」と語っている。

ビジネスアイデアの検証は、自らの珠玉のアイデアを冷徹に否定することを繰り返す工程であり、スタートアップにとって精神的に非常に辛い時間となり、スタートアップ自身ではなかなか徹底できない。そのためシードアクセラレータープログラムでは、多様なビジネスプロフェッショナルがスタートアップのビジネスを徹底的に分析し、アドバイスや時には批判をしながら、第三者とビジネスを一緒に磨きこむ場を毎週のように提供する。

アクセラレーターではこれをメンタリングと呼ぶが、それはアクセラレーターが成功の答えを起業家に提示するのではなく、起業家自身が自ら成功の道を見出すことを導くのがアクセラレーターの役割であることを意味している。

オンラボでは、デジタルガレージグループの経営陣や事業責任者に加え、外部のベンチャーキャピタリストや事業立ち上げ経験者、各分野の専門家などグローバルなプロフェッショナルを招聘してメンタリングを行っている。

さらにオンラボでは、メンタリングの効果を一層高めるため、起業家自身がユーザーヒアリングを徹底することを重視している。メンタリングの場は、ビジネス経験が乏しい起業家にとって〝大先輩〟から厳しく指摘を受ける場でもある。

そのような場で、起業家のもっとも強い武器になるのは、知識や経験よりも、お金を払ってでも欲しい、という顧客の生の声なのである。アイデアをいかに論理的に否定されたとしても、目の前にお金を払ってくれる人がいれば、プロダクトは売れるのである。起業家がユーザーヒアリングで未来の顧客を見つけ、彼らがなぜ自分たちのプロダクトを欲しがっているのか、その論理を分析し、ビジネスとして大きくする道筋を見つけられれば、アクセラレーターの役割はほぼ完遂されたといってよいだろう。

ピッチ

プログラムによって事業内容に確信が持てるようになったら、次に必要になるのが〝ピッチ〟である。ピッチとは、ビジネスパーソンになじみのある言葉で換言すると、プレゼンテーションである。ただし、一般的なプレゼンテーションとピッチは似て非なるものである。

シリコンバレーには、エレベーター・ピッチという言葉がある。これは、起業家がエレベーターで投資家に偶然出会ったときに、投資家がエレベーターを降りるまでの数分間で事業内容を説明し、投資を受けるチャンスを獲得しようとすることである。立ち上げたばかりのスタートアップが投資家にアピールできる機会は非常に少なく、得られた少しの時間でも無駄にはできない。そのため、起業家が数分で自分たちの事業計画の魅力を投資家に伝えられるよう、シリコンバレーを中心にピッチのスキルが磨かれてきた。

日本でもスタートアップを対象にしたコンテストが数多く開かれているが、各社に与えられる時間は5分程度である。スタートアップは、こうしたコンテストで自社の知名度を高めたり、投資家とのごく短い打合せ時間で自分たちを最大限にアピールすることが、その後の資金調達に大きく影響する。その最初のお披露目の場が、アクセラレーターの最終発表会である。アクセラレーターでは、最終発表会をDEMODAYと呼ぶが、これはプログラムを通じてプロダクトの形ができ、そのデモを投資家に披露する場という意味が込められている。オンラボのDEMODAYは、国内外のベンチャーキャピタリストが多数参加し、有望投資先を発掘する場として定着している。

林をはじめ、カカクコム畑社長らが、DEMODAYにのぞむスタートアップの審査を担当する

アクセラレータープログラムを卒業した後、事業説明の機会が無数に訪れ、それぞれがスタートアップの成長に影響するため、オンラボでは、ピッチの磨きこみにも力を入れている。10年を超えるプログラム運営の中で､ピッチにも独自のノウハウが蓄積されており、業界で「オンラボスタイル」と呼ぶ人がいるほどである。

オンラボで培ったピッチのノウハウは、元を辿ればシリコンバレーでお手本とされている、AirbnbやSquare、mintといったその後大きく躍進するスタートアップのごく初期のピッチ資料を分析し、日本の多くのスタートアップが使えるようにしたものである。

オンラボのピッチは、VCがシード・アーリーのスタートアップへの投資を検討する上で必要になる情報を網羅する8つの項目に凝縮させている。この8つの項目はスタートアップがVCから資金調達をする上で必要な、欠かすことはできない情報と言えるだろう。投資家は数多くのスタートアップのピッチを日常的に聞いているが、このフォーマットは多くのスタートアップで標準的に採用されている構成といってもよく、多くの投資家にとって情報を受け入れやすいこともメリットである。

このようにスタートアップが資金を獲得して事業を成長させるために必要な要素をオンラボで身につけ、イノベーションの大海原に旅立つのである。

スタートアップ育成とデジタルガレージ

デジタルガレージのオンラボを中心とするスタートアップ支援は、グローバルで年間数百社の書類に目を通して面談したソーシング活動によって選抜した20社弱をアクセラレータープログラムで鍛え上げ、その後も卒業生の成長を支えていくものである。２０１０年から10年以上こうした支援を続けている民間企業は他に例をみない。

現在、オンラボはデジタルガレージのオープンネットワーク推進部がその運営を担っており、年間6つのプログラムを運営し、卒業生支援を行う体制を構築している。具体的には、プログラムの企画やスタートアップの採択・投資戦略を検討する各プログラムのプログラムディレクター、プログラム運営の実務を支える業務基盤チーム、そして卒業生を支えるプロフェッショナルスキルを有する卒業生支援チームで構成されている。さらに、デジタルガレージの各事業部やグループ会社とオンラボのスタートアップの連携を図るため、各部署と日常的に連携を深めている。

デジタルガレージのスタートアップ育成は、大きく3つの目的がある。それは、キャピタルゲイン、既存事業のバリューアップ、新事業の立ち上げである。

キャピタルゲインは、立ち上げ直後のまだ企業価値が低い段階のスタートアップに投資を行い、オンラボのプログラムと卒業生支援により事業成長を加速することで、金銭的な利益を得ることを目指している。これは、支援内容には大きな差があるが、ほぼすべてのベンチャーキャピタルが持っている目的である。

重要なのはここからで、既存事業のバリューアップは、事業の柱であるＦＴおよびＭＴを、スタートアップと連携することにより競争力を高めたり、売上を高めることを目的とする。たとえば、広告関連のスタートアップのサービスとＭＴの広告事業を連携させ、新たなサービスラインナップを拡充したり、スタートしたばかりのサービスにＦＴの決済サービスを導入することで、サービスが成長したときに大きな取扱高に成長することもある。

オンラボ卒業生のFRILはその代表的な例で、楽天に買収されてラクマとなった現在でもデジタルガレージの決済サービスを利用しており、ＦＴの事業に大きく貢献している。

そして最も重要な目的が、新事業の立ち上げである。前述した黎明期のカカクコムへの出資やTwitterへの出資はその代表的な事例である。持続可能な社会に向けた〝新しいコンテクスト〟をデザインし、テクノロジーで社会実装することを会社の目的としているため、常に前例の無い時代の最先端を走っている。スタートアップは世界で最もビジネスの先端を走っており、特にシード・アーリーのスタートアップはその先鋒である。オンラボは、シード・アーリーのスタートアップとデジタルガレージの接点を作り、将来のデジタルガレージを形作る新しいビジネスの萌芽探しを担っている。

その最新の事例が相続のＤＸを推進するAGE technologiesである。２０１９年にオンラボを卒業したまだ新しい会社だが、膨大なアナログな書類手続きが発生する相続分野においてＤＸをけん引している。２０２１年４月に参議院本会議で所有者不明土地法が可決され、成立した。これにより、２０２４年までに相続登記の義務化と、手続きの簡素化が進められる。すでに相続登記のＤＸサービスを提供し、事業を拡大しているAGE technologiesにとってこのような社会情勢は追い風であり、デジタルガレージも今後の事業拡大に向けて支援に力を入れている。

2019年に開催したOpen network lab、Year End Partyには、125名を超える卒業生らが集結した

卒業生VOICE

第10期 株式会社スマートHR 代表取締役
宮田昇始

ユーザーの課題や世の中の課題から事業を作らないとうまくいくわけがない――人が欲しいものをつくる、課題から事業を探す大切さ

自分たちの想像でユーザーの声を推測していた

「ユーザーの課題や世の中の課題から事業を作らないと、そもそもうまくいくはずがない」というのが一番学んだことですね。オンラボに入るまでに2つサービスを出していたのですが、全然当たりませんでした。2013年に起業したのですが、当時の先輩起業家のみなさんは「事業は当たるか当たらないかわからないから、10回やって、死ぬ前に当たりを

見つける」というような考え方が主流でした。どうしても机上の空論というか、自分たちでできることから発想しがちで、当時は〝本当に刺さる事業〟に向き合っていなかったと思います。オンラボに入って真っ先にメンターに言われたのが「あなたたちは、ユーザーの声を聞いていない」ということ。

「本当にユーザーはそのプロダクトを欲しいのか？　どういう課題を持っているのか？」という質問に対して、ぼくらは「〇〇だと思います」と答えていたんです。その時に、「『だと思う』ということは、あなたたちが何らかの証拠からユーザーの声を憶測しているだけで、きちんとヒアリングをしていないのでは？」と指摘されました。確かに当時は、ユーザーヒアリングはしたことがなく、そこからヒアリングを始めると、自分たちが当初考えていた課題などは現実には存在しないもので、自分たちの想像から課題や解決策を発想していたということがわかったのです。誰かの、そして世の中の課題から事業を作るという大切なことに気づかされました。

うれしかったのは、オンラボのデモデイで最優秀賞に選ばれたことですね。他の同期はオンラボに採択された時のプロダクトで期間中からデモデイまでずっと勝負していたのですが、ぼくらは途中でピボットしていったんゼロになり、同期の中で最下位のような存在になってしまった。しかし、最終的にデモデイでピッチをして投資家にアピールすることができました。実は共同創業者とは、オンラボで事業が軌道に乗らなかったら会社をたたもうかなぐらいの話をしていたんです。それが、デモデイで最優秀賞を獲得できたときは、手応えもありましたし「うまくいくかも！」と思えた瞬間だったので、素直にうれしかったです。

9回失敗して10回目のスマートＨＲで成功

スタートアップってめちゃくちゃしんどいんですよね。初期の頃、何もかもうまくいかなくて、本当に自分たちが作ったサービスが世の中に受け入れられるか悩んだり、数字がついてこなかったりする時とかって、かなりしんどい。そういうしんどい時にもあきらめないことが重要だと思っています。

Ｙコンビネーターの創業者であるポール・グレアム氏の有名なブログに「死なないために」というのがあるんですが、これをオンラボ期間中の3カ月間、毎日帰りの電車で読んでいて、これで励まされたというか、絶対にあきらめないでいようという気持ちになれました。

そこに書いてあることは、半分のスタートアップはうまくいくけど、半分のスタートアップはうまくいかないということ。ただ、うまくいく人とうまくいかない人の違いは、結局、あきらめたか、あきらめなかったか、ということである。続けてさえいれば、いつか必ず成功すると。スタートアップが死んでいく(会社を清算する)時って、お金がなくなってサーバー代を払えなくなるというようなことはほとんどない。みんな他のことをやり始めてしまったり、あきらめてしまうからスタートアップは死んでしまうのだ、と。

実際にぼくたちもオンラボ期間中に9回失敗して10回目のアイデアで今のスマートＨＲに辿り着きました。だから、今まさに課題を探している方や何もかもうまくいかないという人も、「宮田が10回目だったんだから自分たちもあきらめないで続けよう」という気持ちで、がんばってもらいたいなと思います。

■株式会社SmartHR　２０１３年に株式会社ＫＵＦＵ（現SmartHR）を創業。２０１５年11月に自身の闘病経験をもとにしたクラウド人事労務ソフト「SmartHR」を公開。登録企業数は公開後４年で２０００社を突破。２０１９年にはシリーズＣラウンドで海外投資家などから62億円の資金調達を果たす。

WHILL

第5期 WHILL株式会社 最高経営責任者
杉江理
革命的なパーソナルモビリティとしての次世代型電動車椅子を世に送り出したい

「練習が足りないと、会社が潰れるんだぞ！」


オンラボ卒業後の2013年、米国に渡り、本場シリコンバレーのアクセラレータープログラム「500 Startups」に参加しました。

そこではプログラム創設者のデイブ・マクルーアに、ピッチを練習するスタートアップたちが次々に「帰れ！」と激しいダメ出しを受けていました。ある日「日本語でピッチしてみろ」と言われてやってみたところ、「日本語なら自信が感じられる。英語だとクソなのは、練習が足りないからだ。練習が足りないとどうなる？　出資を受けられずにお前の会社は潰れるんだぞ！」と厳しく叱咤されました。

不慣れな英語でのピッチを猛練習し、ついにピッチコンテストで優勝することができました。テクニカルな要素もあるけど、「何よりピッチは練習が大事」を実感しました。

■WHILL株式会社　従来の電動車椅子ではなく、スタイリッシュなデザインと洗練された使い心地、直感的な操作性を兼ね備えた全く新しいパーソナルモビリティ「WHILL Model A」「WHILL Model C」を開発・提供している。米FDA（米国食品医薬品局）からの認可を取得したモデルも展開しており、グローバルで新たなパーソナルモビリティの形を提案している。

giftee*

第1期 株式会社ギフティ代表取締役

太田睦

コンペで大きな契約を勝ち取った、事業のターニングポイント
——スタートアップの提案が大手企業に選ばれた理由

仲間でありライバルという存在があったから「孤独な起業」ではなかった

私は起業する前はシステムエンジニアでした。今でこそネットや書籍でいろいろ情報が得られますが、会社設立の手続きや資金調達での事業計画の作り方、収支計画の作り方など、

当時はあまり情報がなく、オンラボでこのあたりの知見を学べたことが貴重な経験だったなと思います。また、同じオンラボの1期生としてほかに4チームが参加してスタートしたのですが、それぞれの事業領域は違えども、いい意味でのライバル関係というか、お互いが刺激をし合って一緒に成長できる仲間がいる。起業というのは孤独なものですが、そんな仲間たちに背中を押してもらえたところも大きかったですね。

またオンラボには経験豊かなメンターの方がたくさんいて、その方々からアドバイスやお墨付きをいただけたことはすごく心強かったです。

勝負どころの提案で相手を動かせた

スターバックス コーヒー ジャパンのコンペには、当社以外にも名だたる大手企業が参加していました。当時、私たちは一泊二日の合宿を組み、何日も徹夜して精神を削りながら提案を作りました。相手を動かすことのできたポイントは、まず、先方が求めている基準はすべて満たした上で、相手の期待値をさらに超えるような提案を行いました。「もし協業いただけるなら、まずはここまでやります。中長期的な展開としても各種支援が可能です」という中長期的ビジョンも織り込んで提案しました。また、プロジェクトに必要な技術などは、すでに既存事業で展開しているという実績もアピールしました。

とにかく、先方の担当者がギフティの提案を経営陣に説明する際に、過不足なく腑に落ちる提案にする、抜け漏れをなくす、ということを徹底し、資料は１００ページにも及びました。

しかし、現実問題としてスタートアップである私たちは他のコンペ相手と比べ、社会的な「信用力」では劣っていると感じていました。そこで、株主である大手通信会社に提案チームに入っていただいて信用力をカバーするなど、ぬかりない準備をしました。

スタートアップというのはけっこう長い道のりになりますから、ずっと全力を出し続けていると疲れてしまうんですね。だから、勝負どころでいかにがんばれるかがすごく大事だと思います。スターバックス コーヒー ジャパンのコンペは私たちの最初の勝負どころでした。「ここはやるしかないだろう！」という創業メンバー間での共通意識があって、本当に寝る間を惜しまずやり切りました。「３～４人の体制でこれだけの提案資料を作り上げた」という熱意をしっかり相手に伝えられたことが、採択いただいた理由として大きかったのではないかと思っています。

失敗も原動力にして前に進む

経営を取り巻く環境の変化が速い時代です。熟慮してサービスや事業を生むというスピード感だと、他社に先を越されてしまいます。なので、とにかく動いてみるということが経営のアーリーステージには大事だと思います。

たとえばサービスを世に出すときも、始めからフル・パッケージで作ろうとするのではなく、まずはスモールスタートというか、本当にコアとなる機能に絞り込んで素早くリリースする、そういう考え方が大切だと思います。

起業するなら、「その事業やプロダクトに人生のすべてをかけられるのか？」ということを自問自答したほうがいいと思います。もしかける自信が持てないのであれば、それは何かが足りないはずです。もしかしたら大幅な方向転換が必要なのかもしれません。人生をかけられる確信が持てるのであれば、それが一番の原動力になります。さらに、その質問を常に自問自答し続けることが、大事だと思います。

いちばん大切なのは、失敗をポジティブに捉える、ということだと思います。失敗したということは、逆にそれによって学びを得ているはずなんですよね。この方法やこの機能はうまくいかない、このＰＲの仕方はうまくいかないとか。失敗から得た経験や学びを次のアクションにつなげることができれば、前進していると言えます。

反対にやってはいけないのが、失敗したことによって萎縮してしまったり、アクションを止めてしまったりすること。失敗すらも原動力にして前に進むぐらいの気持ちがあったほうがよいでしょう。

■**株式会社ギフティ**　２００７年アクセンチュア株式会社にて官公庁の大規模開発業務に従事。２年半のコンサル経験を積み、退社。同じくアクセンチュアでのコンサル経験をもつ仲間２名とともに２０１０年株式会社ｅギフトプラットフォーム事業を展開する株式会社ギフティを設立、代表取締役に就任。２０１９年９月に東証マザーズ上場を果たした。

第３期 Fond Technologies, Inc CEO
福山太郎

僕らにとってのオンラボは、世界への発射台っていうイメージであると考えています。オンラボに参加して、その後アメリカで挑戦したんですけれど、やっぱりオンラボの方々のサポートで海外で挑戦することができたので、そういった意味でも、世界への発射台だったなというふうに感じています。

■Fond Technologies, Inc　企業に向けて、さまざまなサービスを福利厚生として提供する。日本初のY Combinator参加チームとして米国を拠点に活動中。Fondに登録した企業の会員は、飲食サービスから屋外アクティビティまで多数の提携企業の幅広い特典を利用することができ、現在は全米で１０００社以上が採択している。

第12期 Ｔｒｉｍ株式会社 代表取締役
長谷川裕介

オンラボ参加以前は、基本的な事業内容はこのままでいいと思っていました。しかし、対面でのユーザーヒアリングを通じて、まだ改善できる余地があることに気づけたんです。これまでのヒアリングはオンラインアンケートに留まっていましたが、1対1でユーザーヒアリングをすることが重要だと学びました。「足を使え」と、オンラボ担当者からアドバイスをもらったおかげです。

■**Ｔｒｉｍ株式会社**　小さなお子さんを持つ親御さんの悩みを解決するため、設置型個室ナーシングルームmamaro（ママロ）の提供および、外出先でベビーフレンドリーな施設が検索できる地図検索アプリ「Baby map（ベイビーマップ）」を開発。

maricuru

第12期 株式会社maricuru 代表取締役 CEO
高木紀和

オンラボはプログラムもそうですが、インキュベーションチームの皆さんの卒業後の支援が手厚いです。我ながら「オンラボを使い倒しているな～」と実感しています。共に立ち向かってくださる強力な支援体制は、これからオンラボへの参加を検討している方だけでなく、プログラムの卒業生にも強くアピールしたいですね。

■株式会社maricuru　これから結婚を迎えるプレ花嫁が、結婚式や式場に関する悩みや不安を、結婚したばかりの卒花嫁に気軽に相談できるメディアコミュニティプラットフォーム。

第14期 Cansell 株式会社 代表取締役
山下恭平

4期ドリパスと14期Cansellで2回参加しました。当時から数多くのアクセラレータープログラムがありましたが、これほど長く続くプログラムは他にありません。それはオンラボには他には無いビジョンがあったからです。事業や今やるべきことに悩んでいる、これからもっと事業を加速させたいと思ったらまずは応募してみることをオススメします。一緒にいろいろディスカッションしましょう！

■Cansell株式会社 宿泊施設の宿泊権をオンラインで売買できるサービス。権利の販売者には本来宿泊施設へ支払うべきキャンセル料の節約、権利の購入者には通常より安い料金での宿泊、宿泊施設側には通常の宿泊料金を受け取れる等、各方面に利用するメリットがある。予約の付替えはすべてCansellが代行するので、ユーザーは手間いらずで利用することができる。

CO-NECT

第15期 CO-NECT株式会社 代表取締役

田口雄介

オンラボはＶＣとインキュベーションのいいとこ取りのプログラムなので、「プロダクトを作りたいけど、まず何をしたらよいのかわからない」「志はあるけど、なかなか踏み出せない」といった方には、特に向いているのではないでしょうか。プログラム中だけではなく、卒業後もオンラボのインキュベーションチームがサポートしてくれますし、なにより同期の存在が大きいです。

■CO-NECT株式会社　ＦＡＸや電話などのアナログな受発注を、簡単にデジタル化できる受発注ツールCO-NECTを運営。受注側だけでなく、発注側も含めたトータルな効率化を目指している。飲食・食品系の受発注を中心に、アパレルや眼鏡、オフィス用品などさまざまな受発注に利用できる。受注情報から請求書のシームレスな発行も可能で、受発注をはじめ、企業間取引のデジタルトランスフォーメーションを進めるスタートアップ。

第17期 株式会社エブリ・プラス 代表取締役
佐藤亜以

起業して事業に取り組む仲間や、多くの会社や知識を持つオンラボメンターと知り合って、目標を持って切磋琢磨し合えるようになりました。彼らの業務スピードを間近で感じたり、業務効率化に欠かせないツールの存在を知ったり、資金調達をして事業を拡大している話を聞いたり、これまで雲の上の存在だった人が身近に感じられる部分に刺激を受けました。

■**株式会社エブリ・プラス**　高齢者・介護福祉施設向けレクリエーション派遣マッチングサービス。介護度や規模に応じたレクリエーションを提供しており、施設利用者の満足度向上と、施設側の業務負荷軽減により、双方の課題を解決する。

precal

第19期 株式会社プレカル 代表取締役

大須賀善揮

オンラボはリーンスタートアップという手法で事業を進めていくので、ピボットすることに寛容でした。もともと薬剤師だったのでそういうビジネスのフレームワークや事業の進め方の知識がありませんでしたが、自分の中のやり方に固執せず、事業における判断や決断の気づきをいただけて、さまざまな視点で課題を模索するようになりました。

■株式会社プレカル　薬局向けの「処方箋入力代行サービス」。「処方箋入力」は薬局最大の事務作業。「処方箋の複雑さ」や「ソフトの難解な操作性」により、薬局の大きな負担になっている。その処方箋入力をなくすため、送信された処方箋の画像を元に遠隔で入力代行を行うプロダクトを開発。プレカルは、薬局最大の事務作業をなくし、医療の現場をアップデートする。

aiPass

第20期　CUICIN株式会社　COO
山田真由美

事業をつくる上で必要なことを、向き合うべき問いを実践しながら身につけられたと思います。単に知識や事例を受け身で教えてもらうだけではなくて、「じゃあ実践してみて」「はい発表して」というのがオンラボ。こういった経験を積むことで、チーム内で事業の考え方も言語化でき、事業はもちろん、個人としても成長できたと思っていますので、本当におすすめです！

■**CUICIN株式会社**　旅行者のスマホを活用した宿泊施設向けスマートオペレーションサービス。事前チェックインから、モバイルでのチェックアウトまで一気通貫したオペレーション基盤を提供し、効率化を実現する。特徴は3つ、業務ステップを3分の1に、システムの一元管理で効率化、さらにタッチポイントを生かしたUX向上。aiPassはスマートオペレーションで宿泊施設を支える。

PalledAd

第20期 株式会社PalledAd 代表取締役
安彦 賢

オンラボはデジタルガレージが運営していることもあって、投資家や業界の有識者と繋げてくださったり、デジタルガレージグループの担当者と一緒に動きながらDGならではのアセットを有効に活用させていただけるので、東大コミュニティにいるだけでは得られない部分だと思います。

■**株式会社PalledAd**　これまで見えづらかった屋外広告の効果を、人流データを中心とした技術を活用して評価することを可能にする取引プラットフォーム。広告配信者が、Web広告と同じ感覚で予算とターゲットを指定するだけで自動的に最適な屋外広告キャンペーンを計画し、代理店を介さないで簡単に屋外広告を展開することが可能。

Asovivit

第21期 株式会社RambleOn 代表取締役社長

屋冨祖和弥

他社のアクセラレータープログラムにも参加したことがありますが、オンラボのプログラムはまるで「学校」のようでした。ハンズオン支援による事業のブラッシュアップや、経験豊富なメンターから受けるメンタリングが充実していましたし、同期が受けているフィードバックを聞くのは新鮮でしたね。自分事としてフィードバックを聞くのは、多面的に自社を省みる貴重な機会でした。

■株式会社RambleOn　子どもたちが、アソビスタと呼ばれるパフォーマーとオンラインで遊べるサービス。子どもたちが能動的で創造的な時間を過ごすことができ、保護者の家の中での日々の不満を解消。テクノロジー、デザイン、映像、教育の専門家が揃ったチームで唯一無二の遊びを提供し、遊び心の溢れる社会をつくる。

parnovi

第21期 株式会社 parnovi 代表取締役 CEO
遠藤玲希央

オンラボのプログラムではメンターがサポートしてくれて、毎週ミーティングを開催して的確なフィードバックをくれるので、とにかく手厚いんです。その分、自分の会社で必ずリターンを出すこと、コミットメントと成果を出すことが最大の還元だと思っています。プログラムで学んだことはすべてを自分の血肉にしてやる、くらいの気構えが大事ですね。

■株式会社parnovi　ペット向けサービスのソーシャルコマースアプリ。自分のオススメのペット関連商品や店舗を投稿したり、自分と価値観や状況が似た飼い主仲間の写真投稿を閲覧・コメントしたりすることで、〝うちの子〟に合うペット関連サービスを探すことができる。将来的には飼い主や店舗の評価・信頼を可視化することで「ビジネスと倫理」が両立したペット社会を目指す。

「Pitch」刊行

オンラボ10周年およびデジタルガレージ25周年を記念して、２０２０年7月にこれまでのオンラボのノウハウをスタートアップや一般のビジネスパーソンにも公開する「Pitch 世界を変える提案のメソッド」を出版した。

本章でも紹介しているような、スタートアップの具体的な事例を交えながら、ピッチの作り方、さらにその前段となるビジネスそのものの作り方を一冊の本に凝縮している。

この本の執筆のため、過去10年間のオンラボの歴史をデジタルガレージの社内資料や当時の担当者により振り返るとともに、卒業生に、当時のオンラボでの学びやその後の事業成長についてインタビューを行った。

運営者もスタートアップも共通して持っているオンラボに対する記憶は、たった3カ月ではあるが、非常に濃く、時には辛い時間であり、会社が成長した今になっても当時の経験は薄れることがない、ということである。それは単に思い出としての記憶ではなく、成長した今の事業につながるコアになるものが、オンラボの場で運営者や数々のメンターとのやり取りの中で固まったものであり、それが今でも事業の中心に位置するからであろう。

２０１０年に林と伊藤の実体験と、そこから生まれた日本のスタートアップシーンへの危機意識からスタートしたオンラボは、メンバーが代替わりしてもその意志を引き継ぎ、また、スタートアップも事業に成功した後も、オンラボのメソッドを求めて２回目の参加や後輩起業家をオンラボに送り込むなど、脈々とそのノウハウが受け継がれている。その10年以上にわたって注ぎ足され、進化し続けているオンラボの秘伝のタレを一般に公開することには、社内でも反対の声があったが、それ以上にスタートアップエコシステムへの貢献のほうが大切であると、書籍化を行った。

この本は、オンラボの運営者とスタートアップがともに「大変だった」と語るメソッドを書いているため、決して誰もが簡単に実行できる内容にはなっていないが、Amazonの起業家関連書籍で「ベストセラー1位」になるなど、高い評価を受けている。この一冊が多くの起業家やスタートアップ支援者の手に届くことを願っている。

デジタルガレージのスタートアップノウハウが詰まった、スタートアップバイブル

インキュベーションテクノロジーの未来

２０２０年に地球全体を襲った新型コロナウイルス感染症は、多くの死者を生み出し、

文字通り一瞬で人々の暮らしを変えてしまった。それも、世界規模での都市のロックダウンや移動制限という前例を見ない規模での変化を私たちにもたらした。

そんな世界情勢を横目に、米国でのスタートアップ投資は２０２１年第一四半期でドットコムバブル時を超え、史上最高の投資額を記録した（出所：PWC Money Tree）。事業の方向転換に時間がかかる大企業に比べ、常に時代のニーズを先読みしているスタートアップにとって、大きな市場環境の変化はむしろ追い風であり、オンラボでも多くのスタートアップが世の中の変化に合わせて新しいサービスを展開した。

たとえば、バーチャルオフィスを提供するoViceは、パンデミックの影響でアフリカで足止めをうけて日本に帰国できなかった経験から、２０２０年2月に石川県で会社を立ち上げ、サイバー空間上のバーチャルオフィスサービスを開発。半年後の8月にサービスリリースし、大手企業がオフィス縮小と同時にoViceを採用するなど、大きく躍進。２０２１年5月には１・５億円の資金調達を成功させた。

このように、これまでの常識が通用しない混乱の中で、新たな価値を作り出し、世界を変えるのがスタートアップである。

デジタルガレージにとって、前例のない新たな環境下で事業を進化させるためには、スタートアップはなくてはならない存在であり、オンラボを入口として共に新たな社会を形作れるスタートアップを探し求めている。アフターコロナでは、社会課題をビジネスで解決し、持続可能な地球社会を形作ることが求められるが、デジタルガレージはスタートアップのインキュベーションによってテクノロジーを活用したＥＳＧ関連事業により、新たなコンテクストのデザインを目指している。

日本初のアクセラレータープログラムであるOpen Network Labはスタートしてから10年が経ち、巣立ったスタートアップ企業は１３２社。直近では、３分の１以上が日本国外からの応募であり、グローバルを標榜するアクセラレータープログラムとして確固たる地位を築きつつある。日本の経済規模だけに閉じることなく、日本企業だからこそのグローバルを意識した取り組みが必要だ。

よりよい未来への変革を志す起業家とともに、デジタルガレージもまた成長する対等なパートナーとして、ネットワークをひろげていく。次の25年で、デジタルガレージグループがグローバルで随一の起業家ネットワークを持つ企業群になることに注力していく。

２００５年にスタートした「THE NEW CONTEXT CONFERENCE」は、林の〝森を見てから、木をつくりはじめよう〟という思いから生まれた。〝森〟とはデジタル革命のただ中にある世界のいまのことであり、その豊かな〝森〟を案内してくれるのは伊藤であった。日本のインターネット業界は、〝森〟の中でいま何が起きているのか、起ころうとしているのかを知る必要があると林は考えたのである。

折しも、林と伊藤が再び活動をともにし始めた頃でもあった。伊藤は〝インターネットビジョナリー〟として世界中ですっかり有名になり、さまざまな重要なカンファレンスに呼ばれては地球狭しと飛び回っていた。「この領域は、林さんと少しだけ離れているうちに充分にネットワークもできたし、イメージもつくれた」と伊藤は自信に満ちあふれていた。

こうして、ＤＧ共同創業者の伊藤をホストとし、最先端のインターネット技術やその周辺で生まれるビジネスに関する情報の共有、それらの未来への可能性を探ることを目的としたカンファレンス「THE NEW CONTEXT CONFERENCE」が始まる。

記念すべき第１回は「ブログ、ネットコミュニティ、コマース、今後の10年」をテーマに、バラク・バーコビッツ（Six Apart CEO）、デイビッド・シフリー（Technorati CEO）らをスピーカーに迎えて行われた。HTMLを知らなくてもWebに自分の書いた文章を簡単に掲載できるムーバブル・タイプを開発したのがSix Apartであり、そうやって生まれたブログという新しいConsumer Generated Media（CGM）の検索サービスを始めたのがTechnoratiであった。この2005年は、日本において9月時点のブログ訪問者が前年同期比2倍の2014万人に達し、ブログ人気に一気に火がついた年だった（日本広告主協会Web広告研究会の消費者メディア調査による）。DG、そして伊藤はまさに正確に、そして予言者のように、〝森〟で何が起きているのかを伝えていたのである。

そんなふうにして、「THE NEW CONTEXT CONFERENCE」は時代に先駆けるように、そのときどきの重要な事象を、つまり〝森〟の中で芽吹き、急速に成長しつつあるでき事を日本に紹介してきた。

2007年のテーマは、「The Users' Web（ユーザーが創る新しいWebの世界）」で、Web上のリアルタイム百科事典ともいえるWikipediaの創設者ジミー・ウェールズ、いまではすっかり有名になったビジネスソーシャルメディアLinkedInの創業者リード・ホフマンがビジネスの世界でのユーザーズウェブの可能性を語ってくれた。続く2008年のテーマは「オープン・ネットワークとポストWeb2・0」だった。この年、日本でiPhoneの発売が始まった。iPhoneへの地滑り的スイッチングが後押しし、TwitterやFacebookといったソーシャルメディアの日本語版もスタート、ユーザーサイドのデバイスの性能がより充実し、テキストだけではなく、写真や動画がユーザー発信のバリエーションとなり、ＣＧＭの主導権がブログ（長文のテキストデータ）からＳＮＳ（チャットや動画）へとパワーシフトが開始された時期と重なる。

２０１０年と翌２０１１年はそのソーシャルメディアがテーマとなった。Twitter共同創業者のビズ・ストーンやEvernote創業者のフィル・リービンをはじめとした錚々たる人々が集まり、日本からはグリー創業者田中良和氏、コロプラ創業者馬場功淳氏、ミクシィなど、日本を代表するソーシャルメディアの起業家も参加し、ソーシャルメディアやソーシャルゲームの未来について論じ合った。ＬＩＮＥがサービスを開始したのが２０１１年であり、またFacebookの日本からの月間利用者数が１０００万人に達したのもこの年であった。人々の生活に占めるソーシャルメディアの役割はどんどん拡大していった。

２０１５年にはデジタル通貨とブロックチェーンをテーマにしている。ちなみに日本ブロックチェーン協会が発足したのは翌２０１６年のこと。このころから、暗号通貨だけでなく、スマートコントラクトへの応用など、ブロックチェーン技術の持つ大きな可能性に世界中が気づき、大あわてで注目をし始めるのである。

また、2017年のテーマは「拡張人間」と「サステイナブルテック」で、AI、ウェアラブル、ロボティクス、MR（Mixed Reality）、バイオ技術などを使って、人間の身体能力を拡張する技術や、食糧問題を解決する研究やビジネスの紹介をした。この後、世界ではフードテックが大きな注目を浴び、またAIアシスタントを搭載したスマートスピーカーも続々と登場した。拡張現実のテクノロジーがさまざまな場面で用いられ（「Pokemon Go」が大流行したのはこの前年だった）、かつてはSFの中での夢物語でしかなかったガジェットが、どんどん現実のものと化していく、そんな時代がすでに始まっていた。

他にも、「THE NEW CONTEXT CONFERENCE」では、時代に先んじるさまざまなアイデアやテクノロジー、思想を紹介し、論じ合ってきた。あたかも、伊藤がタイムマシンに乗って少しだけ未来をのぞき見していたかのように、これからの世界の進む道をきわめて正しく描いてきた。それぞれのステージで発信した「THE NEW CONTEXT CONFERENCE」のビジョンが、日本のインターネット業界のみならず、アカデミアや、マスメディアや政治・経済界の分野にも大きな影響を与え続けてきたことは間違いない。

現在も「THE NEW CONTEXT CONFERENCE」は、文字通りデジタルガレージの起業のミッションであるCONTEXT、それも生まれつつあるNEW CONTEXTを日本に伝えようとし続けている。「Earthshot」を最新のテーマに『Whole Earth Catalog』の創刊者スチュアート・ブランド、河野太郎行政改革担当大臣、平井卓也デジタル改革担当大臣、小泉進次郎環境大臣 気候変動担当を招き、『Whole Earth Catalog』から50年、これからの未来・テクノロジーを考えるというコンセプトで日米のビジョナリーや政財界の方々を招いて行う予定だ。

最後に、すべてのカンファレンスに参加していただいた村井純慶應義塾大学教授の長年にわたるサポートと、日本のインターネットの父として業界をリーディングしていただいていることに、深く感謝をしてこの章を締めくくりたい。

THE NEW CONTEXT CONFERENCE

since 2005

主な登壇者たち

Vol.03

2007 TOKYO

Vol.04

2008 TOKYO

リード・ホフマン
LinkedIn 創業者

LinkedIn、PayPalのファウンダーで
世界的投資家でもあるリード・ホフマン氏。

Vol.13

2016 TOKYO

「ブロックチェーン」「人工知能」をテーマとして、これらの技術が金融システムや産業界、我々の生活に与えるインパクトについて議論を深めた。

アダム・バック
President & Co-Founder,
Blockstream Corp.

Vol.18

2018 SF

テーマは「AIとデザインによる『デザイン・インテリジェンス』時代の到来」。

ジョン・マエダ
Automattic
Head of Computational
Design & Inclusion

Vol.19

2019 TOKYO

「How to Build a Data Ecosystem」をテーマに、個人情報の保護と活用のあり方を考えた。

ローレンス・レッシグ
クリエイティブ・コモンズ 創設者
ハーバード・ロー・スクール
教授／弁護士

村井 純
慶應義塾大学 教授

初回から全て参加して頂いている日本のインターネットの父、村井純教授。現、内閣官房参与。
(2019年撮影)

Vol.03
2007 TOKYO

「The Users' Web」と「Web Visionaries」をテーマに、次世代のインターネットについてインフラやサービスの面から講演を行った。

ジミー・ウェールズ
Wikipedia
創設者

Vol.06
2011 TOKYO

「生活基盤としてのソーシャルメディアの未来」をテーマとし、人々の生活に欠かせない存在になったソーシャルメディアの今後について議論を深めた。

アブドゥル・チャウドリー
Twitter
Chief Scientist

Vol.09
2013 SF

インキュベーションセンター「DG717」のお披露目を兼ねて開催。Twitter共同創業者のビズ・ストーン氏が基調講演を行う等、第一線の研究者が登壇した。

ビズ・ストーン
Twitter
共同創業者

CHAPTER 5

オープンイノベーション
プラットフォーム
「DG Lab」の挑戦

Scenes that remain in my mind
心象風景

次世代テクノロジーの高速での社会実装（ブロックチェーン、セキュリティ、xR、バイオヘルス、人工知能の5つの領域）

インターネットビジネスを黎明期から手がけてさまざまなトライアンドエラーを重ねた結果、デジタルガレージのビジネスモデルが、おおよそ形作られてきた。Enabling Platform（決済、広告というマネタイズポイント）をベースに、それぞれの最先端のテクノロジーを用いたサービスを育成するモデルだ。

初期は、ポータル・広告、第2の波は現在も続くEコマースやディスティネーションサイト、第3の波は、SNS（Twitter、Facebook、LinkedIn等）、そして、今が次世代主力テクノロジー領域5分野を日本を代表する企業とオープンイノベーションのコンセプトで、DG Labで育成中である。このプロジェクトのCOOとして活躍してくれているのが取締役の大熊将人さんだ(大手商社を経て、大手アパレルメーカーのNY副社長として活躍していた人物だが、彼の正式入社が前職の関連で6カ月遅れてバタバタしたのを記憶している)。時々刻々と変化するブロックチェーン業界との資本提携や、国益にかなうフィンテックサンドボックス

1号となる取り組みに関して、Joiと初期のインターネットとの相似する点や異なる点を意見交換していたのを思い出す（技術者のレベルとしては、世界に20数人しかいないビットコインコアのデベロッパーが4人もいるスーパーチームや、日本を代表する商社、IT・広告・金融・コンサル業界などから素晴らしい頭脳が集結している）。

現在、暗号通貨事業のプロジェクトからは、Crypto Garage（内閣府フィンテックサンドボックス1号案件JV）、バイオ・医療データ事業、不動産DX（リーガルテック事業）、次世代広告事業などの次世代インターネットビジネスの台風の目となるようなプロジェクトが目白押しだ。なかでもここ5年位かけてJoiとやってきたビットコインのBlockstreamの技術をベースとした〝Crypto Garage〟（デジタルガレージ、東京短資、BlockstreamのJV）のプロジェクトは、そもそもビットコイン自体を作ったチームが参加している。まさに、コードネーム〝サトシ・ナカモト〟（ビットコインの構想はこの名前で発表されたため、最初は日本人ではないかと言われていた）の国＝日本。その国益にかなう形で次世代暗号通貨のビジネスの取り組みが、グローバルビジネスとしてキックオフされようとしている。

——林郁

デジタルガレージの、Enabling Platformを活用したIncubation Model

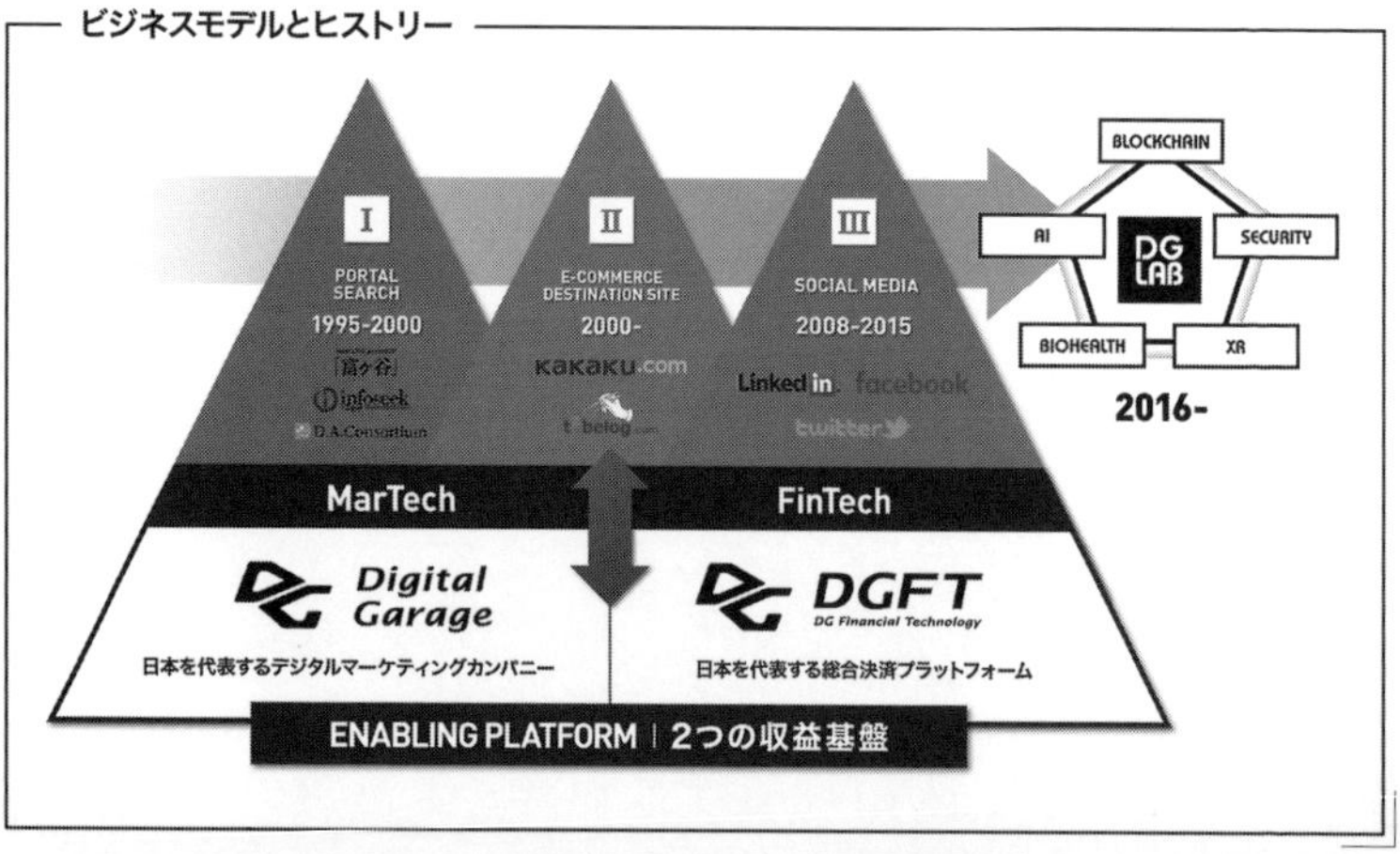

次世代型開発組織「DG Lab」を設立

２０１６年７月４日。デジタルガレージの代官山オフィスに数十社のメディアが集まった。オープンイノベーション型の研究開発組織、「DG Lab」の設立の記者発表だ。

株式会社デジタルガレージ、株式会社カカクコムを中心とした通信・金融・医療・ＩＴなど日本を代表する企業が、オープンイノベーションの掛け声のもと参画、連携して、次世代の事業の柱となるプロダクツやサービスを創出するグローバルなプラットフォームを目指すことを表明した。

林は概要説明に先立ち、「デザイン、データ、テクノロジーを組み合わせることで、かつてのバウハウスのようなセレンディピティを起こしたい」と抱負を述べ、伊藤はそれを受けて、次のように説明した。

「ＡＩもバイオもビットコインも、実は数十年前から研究は始まって、ブームと言われるうねりは何度も来ている。前と違うのは、いろいろな分野の融合が起きていること。そして、サイエンスとプロダクツ、研究開発から商品開発のサイクルが速くなっていること。融合とは業種が重なってきているということ。たとえばＡＩを使ったビットコインの開発のように。そして今、バイオ関連の論文は年100万本と言われていて、とても人間が読み込むわけにはいかないので、AIが読んで処理し、研究開発に利用していく。他分野のものが基礎研究から商品まで繋がり、商品同士も繋がって来ている。インターネットの歴史を見てもインフラの上にさまざまなサービスを作ってきたけれど、これからもインフラを作らなければいけない分野がある。それにはスピーディーなベンチャーから、基幹・基盤・国までをうまくコーディネートするDG Labのような組織が必要だ。それらにアートの要素を入れれば、社会的な意味をも生み出せる。研究者、技術者だけでなく、アートの要素も入っているDG Labはまさにこれから必要とされる組織だ」

こうして設立されたDG Labは、グローバルな視野に立って研究開発に取り組むために、東京、サンフランシスコ、ニューヨーク、ボストンに拠点を置き活動を開始した。

DG Lab設立の記者発表会。左からカカクコム畑社長、デジタルガレージ林、伊藤

オープンイノベーション型組織の必要性

２０１６年当時、インターネットによって生まれたオープンイノベーションの波は、ハードウェア産業やバイオテクノロジー産業までをも巻き込み、さまざまな分野で技術進化の速度が加速し始めていた。

こうした状況で、自社ですべての技術を開発し、時間をかけて事業化することを目指す従来型の研究開発よりも、社内外にとらわれずに優れた技術をいち早く発掘し、その技術をコアに、さまざまな業界に向けたプロジェクトを立ち上げていく、オープンプラットフォーム型の研究開発の方が、技術進化の波に素早く柔軟に対応できるのは当然と言える。

DG Labでは、「デザイン×データ×テクノロジー」を切り口とし、今後の事業の基盤として期待できる「ブロックチェーン」「人工知能」「xR」「セキュリティ」「バイオヘルス」を重点分野として、これらの分野で高いレベルの技術を持つ国内外の投資先企業と連携、新たなプロダクトやサービスの基礎となる研究成果を生み出すことを目指した。

コンセプトに賛同する企業には「協賛パートナー」として参画してもらい、研究成果を優先的に各社の事業展開に活用するという、まさにオープンイノベーションの形である。

未来を創る分野選定——集うパートナー企業

DG Labの中で5つの重点分野を選定したが、その中でも特に、「ブロックチェーン」「バイオヘルス」にフォーカスして説明していこう。

まずブロックチェーンについては、「ブロックチェーン」や「ビットコイン」という言葉が海外を中心に囁かれはじめた当時、デジタルガレージは２０１６年２月に、いち早く将来性に共鳴し、Blockstreamに出資していた。

Blockstreamは、ビットコインの基盤技術であるブロックチェーンの開発を手がけてきた第一線のエンジニアが数多く所属し、ブロックチェーンをさまざまな用途で利用するための先進的なプロダクト開発を行っていた。DG Labは、Blockstreamの技術支援を受けながら、ブロックチェーンを軸としたさまざまなプロジェクトの模索を開始した。

<Open Innovation Platformオーバービュー>

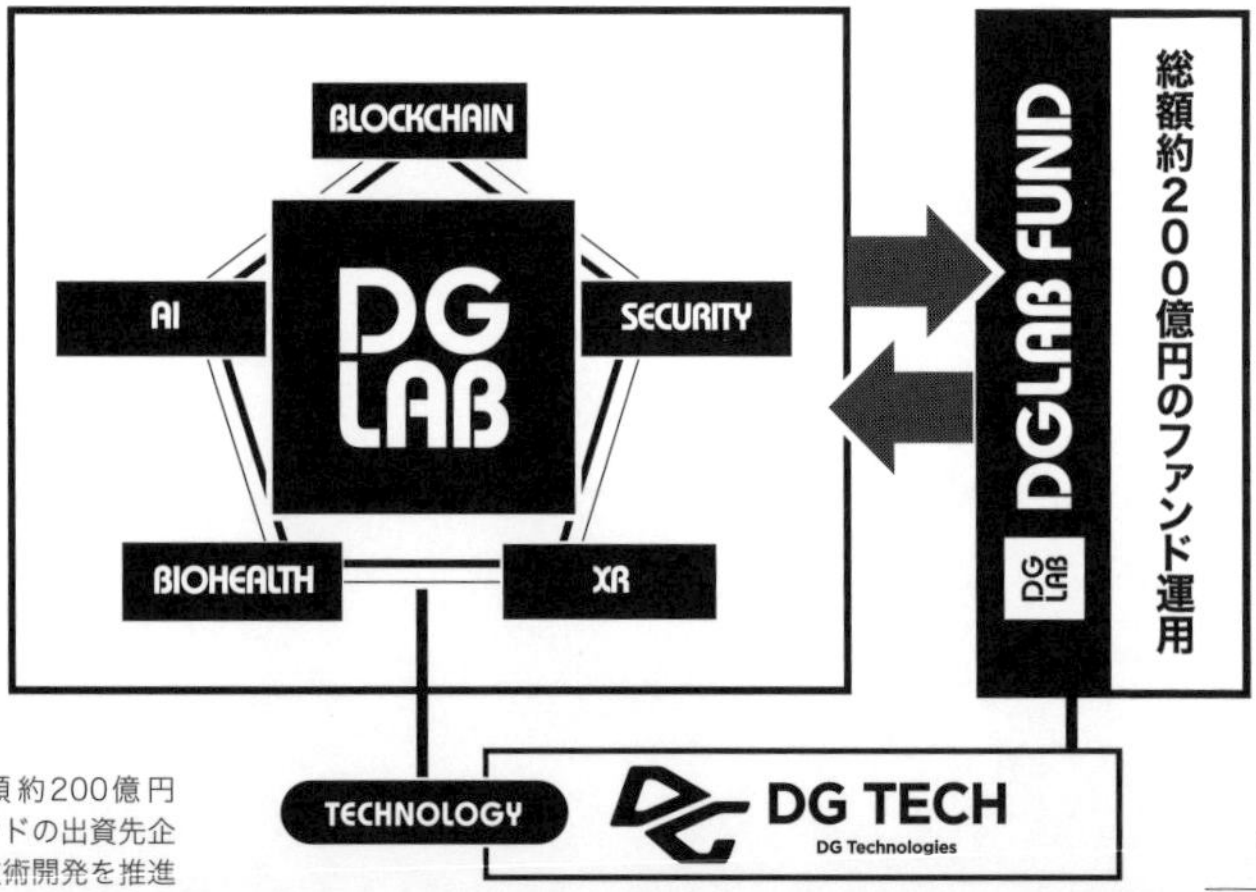

DG Labは、総額約200億円のDG Labファンドの出資先企業らと連携した技術開発を推進

発足当時のDG Labの運営体制

これらの研究開発および実用化に向けて、コアパートナー、協賛パートナーの他にDG Labのキーコンセプトである「デザイン×データ×テクノロジー」を実現するために、デザイン分野では、グローバルブランドの支援企業I & Co.を設立した世界的なクリエイターのレイ・イナモトがクリエイティブ・アドバイザーに就任した。

さらに２０１８年には、ＫＤＤＩがDG Labのコアパートナーに加わった。ベンチャー・キャピタル（ＶＣ）の機能としての当初からの想定に基づき、大和証券グループとDG Daiwa Venturesを設立、「DG Lab１号ファンド」を立ち上げ、２０１９年には「DG Lab２号ファンド」の運用を開始。総額約２００億円のファンドを運用して、先端５分野の技術を持つ国内外スタートアップへの出資を本格化させている。

これによって、５つの技術領域と投資チームの計６チームが、イノベーションを起こすための事業化に向けて、デジタルガレージが創業以来築き上げてきた世界的なネットワークを活用しながら、大企業―スタートアップの結節点となって大小さまざまなプロジェクトに取り組むことになった。

ブロックチェーン技術開発の幕開け

ブロックチェーン分野の技術開発は、Blockstreamとの出会いから始まる。

ここで時計の針を２００８年まで戻そう。２００８年、サトシ・ナカモトと名乗る正体不明の人物が、電子通貨ビットコインに関する論文を発表した。その論文によって、金融、アカデミア、インターネット業界、そして中央銀行の存在までもが大きな影響を受ける可能性があることを世界中が議論し始めた。その渦の中心にいたのがBlockstreamの創業メンバーであった。

２０１４年1月創業のBlockstreamには、ビットコインプロトコルの開発を初期から手がけてきた第一線の技術者が数多く所属し、暗号通貨やビットコインの基盤技術であるブロックチェーンをさまざまな業界や用途で利用するための先進的なプロダクト開発を行っていた。

創業後間もない２０１４年11月には、LinkedIn創業者のリード・ホフマンとKhosla Ventures、Real Venturesをリードインベスターとして、２１００万ドルの増資を行ったことで、アメリカを中心に注目を集めた。

その後、２０１５年10月にBlockstreamは、ブロックチェーン関連サービスの開発を促進するためのオープンプラットフォーム技術「サイドチェーン」を発表する。サイドチェーンは、ビットコインで用いられるブロックチェーンと連動しながらも、ブロックチェーンから分岐した形で新たな技術開発が行えることを特徴としていた。

日本のビジネスシーンではブロックチェーンに注目が未だ集まっていない時期から、デジタルガレージはグローバル・インキュベーション・ストリームを通じ、Blockstreamとのコミュニケーションを開始した。そして、２０１６年２月、子会社で投資・育成事業を手がけるＤＧインキュベーション（現DG Ventures）を通じ、Horizon Capital、AXA Strategic VenturesなどとともにBlockStreamに出資することになる。

Blockstreamとのパートナーシップを軸に数々の実証実験を繰り返す

出資を契機に、Blockstreamの技術を利用した日本市場向けのフィンテック関連サービスの開発と実証実験を開始。さまざまな企業と連携するオープンイノベーション型で展開することにした。

その後２０１６年7月に発足したDG Labの重点領域に、ブロックチェーンを据え、

Blockstreamとのパートナーシップを深め、❶クレジットカード等のポイントや、電子マネー・プリペイド等のバリュー、仮想通貨などの「リアルタイム交換システム」、❷地域経済の活性化において、最も重要である域内小売への定量的送客マーケティング機能や、消費者のメリットを重視した「地域マネーシステム」、❸金融商品等の契約及びその執行を自動化する「スマートコントラクトシステム」など、数々の実証実験を展開していくことになる。

一方でDG Labのブロックチェーン開発者たちも、この動きの中でオープンイノベーションへの貢献をさまざまな形で行っていった。その中の一つで、デジタルガレージらしい試みとして、ビットコイン（ブロックチェーン）技術者の育成を目的に実践的ワークショップを大々的に行ったBlockchain Core Camp（通称「BC²」）がある。２００名以上の参加を記録したこのワークショップは、世界中から実際の著名ビットコイン開発者を講師として招致し、ハンズオン形式で丸3日間かけて基礎技術から応用までを網羅するという業界でも最も実践的な内容のワークショップとして大きな反響を呼んだ。また、なかなか表舞台に現れることのない世界中のトップレベルのビットコイン開発者を国内に紹介し、彼らとのネットワーク深めるきっかけにもなった。

Blockstreamとのパートナーシップによりお互いの技術者同士の交流も深まり、実際にDG Labのブロックチェーン開発チームをBlockstreamの活動拠点であるカリフォルニア州サンフランシスコに数カ月間派遣し、毎日対面で共同開発を行うというプロジェクトも始まった。プロジェクトキックオフ当初はBlockstreamエンジニアのあまりの技術力の高さに面食らったこともあったが、2週間、1カ月、2カ月とBlockstreamの技術者との共同開発を進める中で徐々にキャッチアップ、数カ月後の帰任時には両者の強みを生かしたコンビネーションが実現できていた。

この経験を基にした技術力のベースアップが、前述の各種プロジェクトをさらに加速させた一因となった。

この各種プロジェクトの中の一例として電子マネー・プリペイド等のバリュー、独自仮想通貨などがブロックチェーン上で独自に発行でき、またそれら複数のアセット同士のリアルタイム交換を実現する汎用フレームワーク「DG Lab DVEP (Digital Value Exchange Platform)」TMを開発、各種実証実験に活用した。DVEPは、Blockstreamが開発するブロックチェーン基盤技術「Elements」を基に開発され、ビットコインブロック

世界中の著名ビットコイン開発者を招いて開催した、Blockchain Core Camp（BC^2）

チェーンが有する高いセキュリティや秘匿性を保持した。そして、これを活用することによりポイント・電子マネー・地域マネーなどの発行・管理・交換・決済を高い信頼性を維持しながら、非中央集権的に実施できるようになった。それによって、さまざまな事業者による同一のブロックチェーン上で迅速、安価、セキュアなアプリケーション構築を可能にした。

東京短資との提携、ブロックチェーン技術を活用したフィンテックの加速

DG Labを通じ、ブロックチェーン分野におけるさまざまな研究開発を加速させるなか、2017年11月、デジタルガレージは東京短資株式会社（100年以上にわたって銀行間取引市場・オープン市場において主として仲介・媒介業務に取り組んでき金融機関）と、フィンテック分野におけるブロックチェーン、AI（人工知能）を活用した新たな金融事業の創出に向け提携することになる。

当時、東京短資では、事業開発担当の加藤岬造（現Crypto Garage事業開発責任者）を中心にブロックチェーン技術によって既存の金融システムにおける破壊的創造が起きていくことを予見し、手探りの中、独自の情報収集と研究を行っていた。ブロックチェーン

関連の深度ある情報獲得に課題を感じていた加藤のチームは、試行錯誤を続ける中、DG Labが主宰するBC²への参加を通じてDG Lab ブロックチェーンCTO渡辺太郎と出会うことになる。

世界でも有数のビットコインコア技術者を抱える渡辺のチームとの遭遇は、ブロックチェーン技術の本質に触れ、当該技術を活用した金融事業の可能性を見出すことに十分な体験であり、その後の東京短資とデジタルガレージとの事業化検討の加速に繋がることになる。

デジタルガレージと東京短資は、Blockstreamのオープンプラットフォーム技術「Liquid」を利用し、暗号資産取引所などがブロックチェーン上で仮想通貨を高速にやりとりすることができる、いわゆるOTC（オーバー・ザ・カウンター）取引をカウンターパーティーリスク（金融取引先の破綻などによる契約不履行のリスク）なく実現する新規事業開発に取り掛かり始めた。

暗号資産市場は徐々に、時価総額が2000億ドルを超え、金融市場における存在感を増し、他社もブロックチェーンや仮想通貨関連の実証実験に熱を上げ始めた。

Crypto Garage の設立

２０１７年11月の提携以降、研究開発を重ねてきたデジタルガレージ、東京短資、そしてBlockstreamの３社は、２０１８年７月、フィンテック分野におけるブロックチェーン金融サービスの研究開発と事業化を目的とした合弁会社Crypto Garageを設立する。

設立の目的は、ブロックチェーン技術や暗号技術を活用した高度な金融サービス・ユースケースに関する研究開発を加速させ、黎明期である仮想通貨・ブロックチェーン領域に革新的なサービスを本格的に展開することにあった。

「ビットコインやブロックチェーン技術への関心が急速に高まり、ビジネスが先行し、技術基盤が不足している状態から、いよいよ安定的で整備された技術体系を確立するフェーズに入りました。東京短資との当合弁会社を通じて、日本発の世界を代表するブロックチェーン金融サービスを創出し、成長させていくことを楽しみにしています」と、合弁会社設立のリリースで林は語っている。

金融分野第1号となる内閣府「規制のサンドボックス制度」の認定を取得

事業化に向け、研究開発を加速させるCrypto Garageは、２０１９年1月に金融分野第1号となる内閣府のイノベーション創出プログラム「規制のサンドボックス制度」の認定を取得するに至る。

このサンドボックス制度のもと、日本円に紐づいた「トークン」を発行することで、暗号資産「ビットコイン」と法定通貨の取引を可能にし、さらにアトミックスワップという技術を用いて、リアルタイムでの同時決済を実現した。

これにより、大口の取引であっても、暗号資産を用いることで遅延なく、また法定通貨取引におけるカウンターパーティーリスクもなく決済を実現できる。

２０１９年1月からは、現行法の規制を一時的に止め、およそ1年かけて国と実証実験を行い、検証を行った。

「ブロックチェーン技術による同時決済を可能とし、それもペーパー（論文）のレベルではなく、実際の仮想通貨を使って実装する。（取引先への）信頼ゼロで同時決済が可能になるのは、世界中の技術者が追いかけている大きな目標です。それを実装するというのだから、胸が高まりました」と、当時の内閣府の担当者は期待を込めて語ってくれた。

実証実験では、賛同する仮想通貨交換業者数社が、Crypto Garageが開発したアセット発行や売買、取引モニタリング等の必要な機能を提供するSETTLENETを活用し、Blockstreamが提供するサイドチェーン決済ネットワークであるLiquid Network上に、ビットコインに裏付けされたトークン（L-BTC）と交換可能な円建てトークン（JPY-Token）を発行できるサービスを提供する形式を取った。

これには日本国内はもとより海外からの反響も大きかった。ブロックチェーン技術は注目されているが、法定通貨を暗号資産の取引に活用するという事例を日本が初めて実施したからだ。

同年2月には、当時の安倍首相が参議院予算委員会のなかで、ブロックチェーンに関する質問があがった際に「先般創設した『サンドボックス制度』を活用し、とある国内ベンチャー企業が、暗号資産の流動性を高める世界初のビジネスモデルに挑戦するなど、この分野では世界で十分に戦えるベンチャー企業が我が国に存在しているのは事実だ」とCrypto Garageに関して言及したことは、Crypto Garageにさらに注目が集まる契機となった。

「仮想通貨交換業者のオペレーションは日々変化しており、ガイドラインもゼロから作らざるを得ませんでした。ブロックチェーン技術を利用する金融システムを（開発に入る前に仕様を固める）ウォータフォール型で作れるかというと、そうではありません。利用する想定パートナーのフィードバックをもとに、スピーディーに改善していくアジャイル型で、誰もが成し遂げていない何千億円という金額が行き交う金融システムを作るチャレンジは、開発者人生においてそうそう出会えるものではないんです」

当時、実証実験に関わったCrypto Garageの技術責任者である島田義秀はこのように語っている。

SETTLENETの商用化から暗号資産交換業登録へ

2019年1月より1年以上にわたり、日本政府の規制のサンドボックス制度を通じ、市場参加者や規制当局と協働で「SETTLENET」のサービス実証を実施してきた。実証では、テスト環境を利用した概念実証の域を越え、実際の暗号資産と日本円資金をサイドチェーン上で同時決済するという課題に成功し、2020年1月にようやく実証を完了した。

2020年6月に、Crypto Garageは、規制のサンドボックス制度を利用したサービス実証の成功を受け「SETTLENET」の商用化にこぎつけた。暗号資産の大口ＯＴＣ市場に特化した、トレーディング会社や取引所、資産運用会社、ブローカー向け決済プラットフォーム「ＳＥＴＴＬＥＮＥＴ」の商用サービスが本格的に開始されたのだ。

こうしてCrypto Garageは常に規制当局と真正面から向き合い、ブロックチェーン技術の社会実装を図ってきていたが、世界的に広がるマネーロンダリングの懸念や中国を始めとするマイニング規制が強まる中で、日本の国益に資する事業としてスケールするために、改正資金決済法に基づく暗号資産交換業者としての登録を本格的に検討することになる。当初は、サンドボックス制度による実証実験の結論として、一旦は暗号資産交換業登録をせずに事業化するという整理をしていたが、国内外事業者を「ＳＥＴＴＬＥＮＥＴ」にオンボーディングしていく過程で、加速化するグローバルでの規制強化に応じていくためには、日本での暗号資産交換業登録の必要性が増していく。とはいえ、本格的に暗号資産交換業登録をするとなると本格的な事業開始がさらに先延ばしになる。侃々諤々の議論が尽くされ、結果として国内初のＢ２Ｂにスコープを絞った暗号

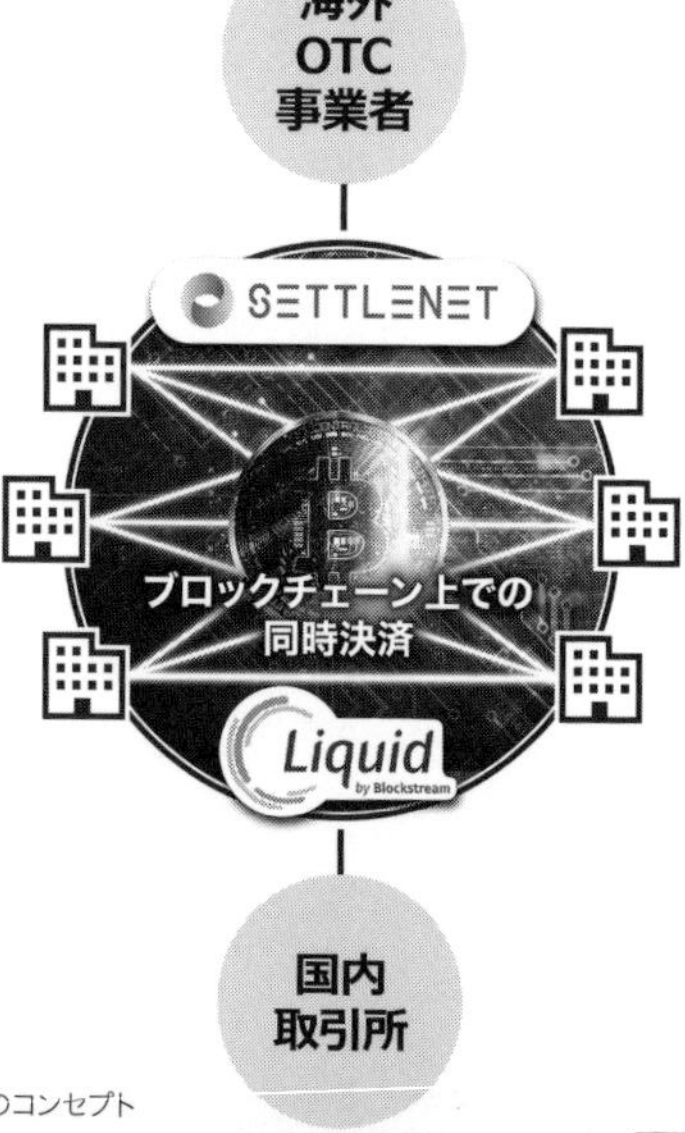

SETTLENET商用利用のコンセプト

資産交換業者としての登録を本格検討することになる。

２０２０年10月より、金融庁との折衝が開始され、２０２１年6月29日、Ｂ２Ｂを対象とする暗号資産交換業者として日本では初めての登録が完了することになった。今後、Crypto Garageは、暗号資産交換業登録を機に、決済事業のみならず、暗号資産の預かり（カスタディー）、暗号資産をベースにした金融商品の開発に乗り出し、総合暗号資産サービスへと事業発展することを狙っている。金融業界におけるファーストペンギンとして、Crypto Garageの挑戦は続く。

バイオ、医療データ事業への新展開——〝Bio is the new digital〟

DG Lab設立当時、伊藤はバイオの分野に関してこう語っている。
「ＭＩＴメディアラボ創設者のニコラス・ネグロポンテの言葉の一つに、僕も好きな〝Bio is the new digital〟というものがある。デジタルの時代になった時、世の中のいろんなものが繋がって、いろんな業界がひっくり返ったが、これからバイオテクノロジーを使ったエレクトロニクスとか、バイオテクノロジーを使った素材とか、エレクトロニクスを使った健康とか、バイオテクノロジーがデジタルと同じように全部に繋がってくると思う」

伊藤の言葉通り、バイオテクノロジーやヘルスケアといった領域で、このところ新たな事業開発に向けた動きが激しい。デジタルガレージが立ち上げた、バイオヘルス分野のスタートアップのアクセラレータープログラムOpen Network Lab BioHealthには、大手製薬メーカーを含む20社以上が協賛企業として集まった。

伊藤は、その背景と今後について次のように語っている。

「大手製薬メーカーの研究開発が踊り場を迎えていることが背景にある。研究開発に投資する金額はどんどん増やしているけれど、成果として得られる薬の数が減ってきている。こうした既存のビジネスモデルは、あと5年もすると成立しなくなる。大手製薬メーカーにとっては、こうした状況をどう打破するかが課題で、創薬のプロセスに人工知能を入れたり、試験プロセスの効率化を図ったりしているけれど、自分たちがこれまでとってきた手法を社内から変革するのが難しいことに気づき始めた。

これは日本に限らず世界中で起こっている。印刷機をたくさん抱えている新聞社が、いきなりデジタルに移行しようとしてもなかなか切り替えられないのに似ている。加えて、生物学に新しい知見がもたらされていることも、これまでの創薬のやり方に変革を迫っている。たとえば、免疫と微生物と脳のシステムが複雑につながっていることが分かってきた。これは、単純に薬を飲めばよいのではなく、生活環境を含めて変えなければ治らない病気が多くあることを意味している。つまり、医師と製薬会社、薬だけによってもたらされる健康に限界が見えてきた。新しいモデルによるアプローチが必要。

こうした新しいアプローチには、大手製薬メーカーがこれまで取り組んできたものとは異なるイノベーションや投資方法が求められると思う。だから、自由な発想ができるスタートアップとの協業に期待する製薬メーカーが増えている。たとえば、微生物を使ったアレルギー治療薬のアイデアを持っている日本の大学の先生がいて事業化をしたいと思っていても、大手製薬メーカーは微生物を治療に使うというコンセプトを持っていないし、微生物を育てて実験する設備もなければ、そうした知見のある人材もいない。デジタルガレージの業務提携先でもあるPureTech社はこうした状況を打破するために、世界中から人材を集めて新しいコンセプトの創薬に着手している」

つまり、２０１６年当時から現在のデジタルヘルスに代表される、医療・ヘルスケアがテクノロジーによって進化する時代を見越し、DG Labの重点領域としてBiotech（現在はBioHealthに改称）を選定したのだ。

その後、いくつかの医療・ヘルスケアスタートアップへの投資を通じて業界知見を得て、

2018年より本格的にDG Labにおいて新規事業の検討が開始された。まず最初に取り組んだのはヘルスケア産業におけるエコシステムの構築である。

バイオヘルス分野におけるエコシステムの構築

2010年から続くOpen Network Labでのスタートアップ育成・支援実績を活かし、2018年5月、バイオテクノロジー・ヘルスケア領域の起業家・研究者の事業を支援するシードアクセラレータープログラムOpen Network Lab BioHealthを立ち上げた。

設立にあたって伊藤は、「バイオテクノロジーや製薬といった領域は、インターネットの創成期に似た転換点に差し掛かっています。コンピュータとデジタル技術、そしてさまざまな分野の進歩が、これらの領域をより複雑なものにしています。ブレイクスルーが求められるエキサイティングな時期です。スタートアップとイノベーターが大きな役割を担うと確信しています」と語っている。

プログラムにはヘルスケア産業を牽引する国内外の優良企業がパートナーとして参画し、スタートアップへのメンタリングや事業ノウハウのレクチャーを行った。また、Open Network Labで培ったノウハウの活用、日本と北米・アジア・欧州をつなぐグローバルネットワークとの連携を通じ、日本発のスタートアップの海外展開や、海外スタートアップの日本市場展開をサポートしている。

これらの経験を通じてデジタルガレージは国内外の製薬会社・保険会社とのネットワークを構築し、将来の事業展開に向けて布石を打つことになった。次に紹介するデジタル治療分野での取り組みも、このネットワークを通じて生まれたものである。

デジタル治療分野の産業振興

２０１９年10月、デジタルセラピューティクス（以下、DTx）の開発推進を行う企業7社（アイリス、アステラス製薬、サスメド、塩野義製薬、田辺三菱製薬、帝人ファーマ、デジタルガレージ）により「日本デジタルセラピューティクス推進研究会」が発足した。デジタルガレージは本研究会の事務局として組織立ち上げを行った。

DTxとは、近年「デジタル治療」とも呼ばれ、ソフトウェアを主体とした、もしくはソフトウェアとハードウェアを組み合わせたデジタル技術を用い、疾患の治療を行うために管理や医学的介入を行う製品だ。

従来の医薬品・医療機器での管理や介入、効率化が困難だった疾患等に対する効果が期待され、研究開発または市販後の保管や流通等のコストが抑えられることから、医療経済的にも大きな期待が寄せられている。

デジタルガレージも小児ADHDをゲームのようなソフトウェアによって治療するAkili（米国）や、思春期のうつ病患者用の認知行動療法に基づいたDTxアプリを提供しているLimbix（米国）へ投資しており、医療・ヘルスケアでの重点投資領域と考えている。

研究会では、日本におけるDTxの早期上市ならびに製品品質および価値（臨床的有用性）の向上、そして医療機関への普及を通じて患者に新たな治療の選択肢を提供し、医療の価値向上を目的としている。

また、DTxの普及が先行する米国において活発な活動を続け、グローバルな情報・知見を有する業界団体との連携により、日本におけるDTxの産業振興や、日本発のDTx製品のグローバル展開を推進することとした。

海外ではすでにさまざまな疾患を対象としたDTxスタートアップが多く存在するが、国内では数社に留まっているのが現状だ。

国内でもより多くのスタートアップが参入してDTxを普及させ、医療価値の向上を行うため、研究会の活動を通じて国内DTx市場を活性化することが研究会の使命だ。

DG Labのバイオヘルス担当の宇佐美克明は、次のように当時を振り返る。

「2018年、私がボストンのMIT Media Labに在籍していた時、Akiliを始め多くのDTxスタートアップと会って衝撃を受けました。一見するとレースゲームのようなソフトウェアが〝薬〟になる世界がすぐそこにある。米国のヘルスケア分野の著名VCであるJAZZ Venture PartnersとDTxの未来を語り合っていた時に、DTxの真髄は"Think like Pharma, Act like Medical Device, and Build like Tech"だと行き着いたのです。つまり、製薬会社のように戦略を練り、医療機器会社のように行動し、テック会社のように開発せよ、の意味で、まさに"Bio is the new digital"の世界だと。日本に帰国後は真っ先に、製薬、医療機器、ITが融合して産業振興をする必要があると思い、研究会を立ち上げました」

健診データプラットフォームの構築

デジタルガレージは2016年より、一般社団法人運転従事者脳MRI健診支援機構と連携し、バス・トラック・タクシーなど事業用自動車の運転従事者による健康起因事故を未然に防ぐため、脳ドックよりも比較的短時間・安価に脳動脈瘤・脳出血・脳梗塞の有無が確認できる簡易スクリーニング検査「脳ＭＲＩ健診」を推進してきた。国土交通省が２０１８年に策定した「脳血管疾患対策ガイドライン」に則ったもので、累計の受診件数は4万件（運転事業者：延べ１１００社）を超え、提携医療機関約２００施設と契約を締結して日本全国でサービスを展開している。

立ち上げから本事業に携わっているデジタルヘルス事業部の中谷有紀は「サービス開始当初はあまり反響がありませんでしたが、ガイドラインの策定により必要性の認識も高まり、今では業界団体や健康保険組合が主導して脳ＭＲＩ健診を助成するなど、取り組みが大きく広がっています」と自信を深める。

こうしたＭＲＩから得られる脳ビッグデータはテクノロジーの進化により、今までとは異なる新たな可能性を生みつつある。デジタルガレージは１００％子会社であるブレインスキャンテクノロジーズを立ち上げ、脳ＭＲＩ健診により得られる脳のビッグデータを活用し、健診データプラットフォームを構築して予防医療・先制医療を推進する。

今後はＭＲＩ受診者とのコンセンサスの元、スタートアップや製薬企業とも連携し、認知症の早期識別・早期介入を目的としたスクリーニング検査の拡大、研究開発を進めようとしている。DG Lab や Open Network Lab BioHealth で連携するエーザイ株式会社が日米で認可を取得しようとしている認知症予防薬「アデュカヌマブ」と脳ビッグデータの連携は、認知症という人類が抱える最も困難な社会課題の一つを解決する可能性を秘めている。

将来的には脳画像を中心とする健診データを、個人が保有するさまざまな健康・医療情報（PHR: Personal Health Record）とひも付け、認知症／脳血管疾患などの疾患予測や症状改善・予防に役立てるため、健診データプラットフォームを構築して予防医療・先制医療の推進に貢献していくことを目指している。

DG Lab の他の注力領域

DG Labについて、ここではブロックチェーン、バイオヘルス以外の取り組みについて触れる。

人工知能（AI）の分野では、確率論的プログラミング（Probabilistic Programming）の利用拡大が新たなテーマになりつつある。このプログラミング手法は、オープンソースで開発をされている次世代の機械学習モデリン

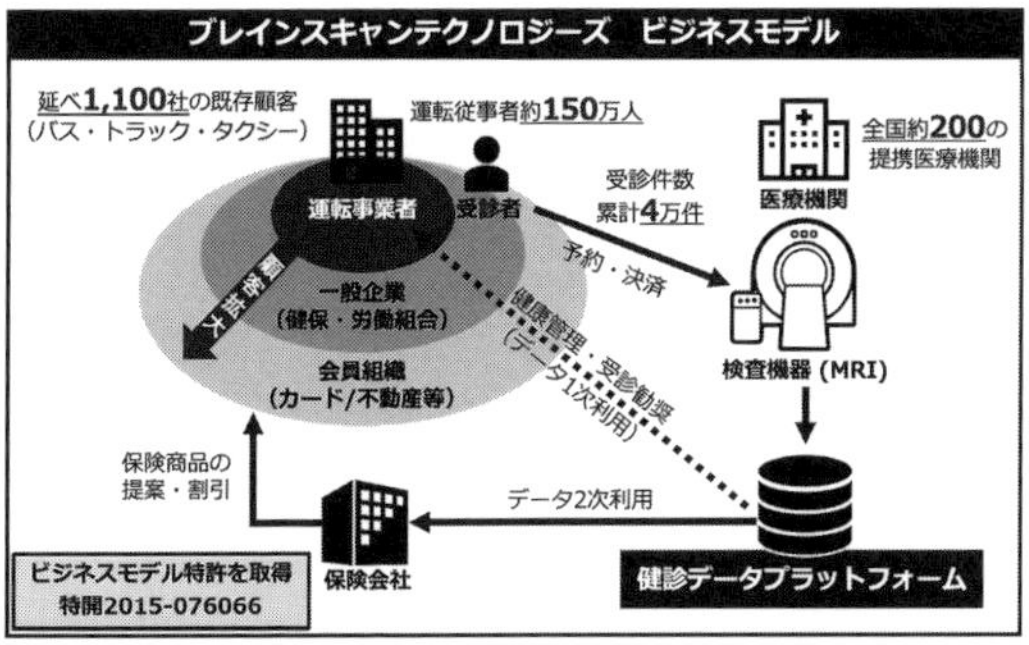

株式会社ブレインスキャンテクノロジーズの事業概要（2020 年7月作成）

グと呼ばれており、機械学習をさせるために必要な数多くの教師データが不要になり、問題を表現する方法を確率論的に学習させることで、機械学習を実践することができる。これは人工知能の普及に大きく寄与することが予測され、直接的に機械学習を知らなくても、機械学習の利用を行うことができる夢のあるプログラミング手法だ。現在さまざまなユースケースが検討されており、一見何の関連もなさそうなデータ群間の相関性を導き出すなどのトライアルが行われている。デジタルガレージは、マサチューセッツ工科大学コンピュータサイエンス学部がリードする確率論的プログラミングのプロジェクトチームと、慶應義塾大学グローバルリサーチインスティチュート（ＫＧＲＩ）との共同プロジェクトとして、国境を超えて確率論的プログラミングの啓発・普及・人材育成に取り組んでいる。

セキュリティの分野では、秘密計算と呼ばれる次世代セキュリティ技術の研究開発を行っている。秘密計算は、高度な暗号理論を用いて、データを暗号化した状態のままでデータベース処理、統計分析、ＡＩによる分析などができる技術だ。データ保護性が非常に高いクラウドサービスや、複数組織のデータを安全に共有・統合して一つのビッグデータとして利活用できるシステムを実現する技術として期待されている。具体的な活用事例としては、医療分野では、ゲノムバンクが保有するゲノム情報と、医療機関が保有するカルテ情報を安全に統合して分析することで、ゲノムと疾病の関係解明など、医学研究が促進されることが期待されていたり、金融分野では、複数の金融機関の送金情報を安全に共有することで、不正送金をより高精度に検知することが可能になると考えられている。デジタルガレージは日本電気、レピダムと連携して、２０２１年2月、秘密計算研究会を立ち上げた。本研究会は、現在の秘密計算技術の技術仕様の整理とともに、社会実装により、クラウドサービスのデータ保護に対する不安の払拭や、組織や企業の枠を超えたデータ利活用により新たな価値が創出されることを目的としている。まずは、技術の安全性を客観的に評価するための基準作りや技術の理解促進のための情報発信などに取り組む。

xR分野では、ＫＤＤＩと連携し、現実世界を仮想世界につなぐメタバース分野での実証実験を行っている。DG LabファンドＫ2号でＫＤＤＩと共同投資先であるPsychic VR Labのプラットフォーム「Styly」を活用し、現実世界とミラーリングするバーチャル世界での新たなエンターテイメント体験を提供した。２０２０年10月には「バーチャル渋谷」という渋谷区公認のプラットフォームで渋谷の街を疑似体験するというイベントを実施。今後広がりを見せるデジタルツインにおけるエンターテイメントのあり方を探っている。

DG Labはオープンイノベーションプラットフォームとして、大企業、スタートアップの結節点として、技術開発や新規事業の礎となることを狙って創設された。その背景にはインターネットがオープンなネットワークとして構築されたことで、現在の巨大インターネットビジネスが成り立っているように、DG Labが取り組んでいるプロジェクト群も、GAFAに代表されるような巨大プラットフォームが独占するのではなく、社会的な共通善にするべくオープンな仕組みのもと、取り組むことで、より普遍的かつ社会に影響を与える価値が生み出せるはずという信念がある。

オープンイノベーションを、大企業とスタートアップをつなぐという一時的なブームに終わらせず、インターネット黎明期から取り組んできた社会的共通善を生み出す取り組みに昇華させるべく、デジタルガレージはこれからも挑戦を続けていく。

EPILOGUE

Earthshot
利益だけではなく、
まず地球を見よ

Scenes that remain in my mind

心象風景　Moonshot から Earthshot へ

ＤＧをはじめる数年前から広告というビジネスも自分にとって一巡したように感じた。大袈裟にいうと、考え抜かれた素敵な世界観やコピーで商品やサービスを売るという広告ビジネスで、〝自分は本当に世の中の役に立っているのだろうか？〟という悩みが、心の中で燎原の火の如く広がっていった。オゾン層や熱帯雨林の破壊が一部オピニオンリーダーから叫ばれつつあったそんな頃に、ＫＤＤの広告で知り合ったオノ・ヨーコさんから、環境チャリティーへのオファーをもらった。

『GREENING OF THE WORLD』という、ＥＳＧ、ＳＤＧｓの先駆けのようなコンセプトの、ジョン・レノン生誕50周年／没後10周年をフックとした環境チャリティーアクションで、その日本サイドのプロデューサー就任の依頼だった。おそらく日本で最初の環境チャリティーアクションであるこの『GREENING OF THE WORLD』の活動に没頭した（1年半、東京の会社を仲間に託し、個人の少しばかりの貯金もすべてつぎ込んで、環境問題や青少年育成、国際交流を目的とする〝ジョン・レノン・スカラシップ財団〟に寄付した）。つまり私の〝Earthshot〟は１９９０年、20代からはじまった。

インターネットの登場とともにDGを設立して25年以上が過ぎ、ネットワークされた人類中心の地球はさらに小さくなり、1990年代よりもっと心もとなく見える。

〝Moonshot〟――それは地球から外に出ていく力、遠心力のこと。一方、〝Earthshot〟とは、かけがえのない地球に向かっていく力、求心力のある持続可能な考え方のことだ。

宇宙から見える地球に国境はなく、私たちすべてはエコシステムの一部だ。

今後、〝Earthshot〟というコンセプトをDGESGの活動の中心に据えようと思う。

具体的には、インターネットの今後の25年

中段左の写真はヨーコ・オノと林、右手には忌野清志郎と細野晴臣 両氏、下の集合写真にはホール&オーツ、レニー・クラビッツ等、日米のスーパースターが並ぶ

2021年 Earthshotファンドと Onlab ESGをローンチし、ESG分野への取り組みを強化

に向けて、次のファーストペンギンたちをサポートするべく、〝Onlab ESG〟というスタートアッププログラムをグローバルスケールで始動した。同時に、ESG投資ファンド〝Earthshotファンド〟もスタートした。さらに、グローバルな連携として、我々のようなインキュベーター、インパクト投資の仲間たちと、ESGインキュベーターのコンソーシアムを構想している。素晴らしいESGスタートアップの出現と、その後のインキュベーションを世界中のすべてのエリアを横断して垂直に立ち上げていくというトライアルだ。世界中のZ世代のESG起業家を強力にサポートし、次の世代に貢献していきたいと思う。

Stay Hungry. Stay Foolishを心に刻んで……。

——林 郁

2020年6月 デジタルガレージ株主総会（Joiはオンライン出席）後の役員集合写真。渋谷パルコDGビル社長室前にて

次の25年のテクノロジーの未来を語る——次なるファーストペンギンたちへ

林——Green Recoveryやインパクト投資、ESGなど、デジタルガレージでも取り組んでいるが、グローバルエコノミーの中で、我々は何をこれらの活動のフィロソフィーとするべきなんだろう？

伊藤—産業革命や日本の高度経済成長期では、人間は自然に比べたら小さな存在だった。あの時代は、モノやエネルギーが足りていなかったから、システムをシンプルにして効率化し、大量生産で経済を拡大することが中心だったよね。それが、今は人間が及ぼす影響力が地球を上回ってしまった。国連が持続可能な開発目標（SDGs）を立て、多くのメーカーが脱炭素の取り組みを打ち出しているのは重要なこと。ただ、僕の根底にある考えは、地球は想像以上に複雑にさまざまな要素が絡み合ってバランスを取り、安定しているということ。脱炭素の取り組みだけに集中していると、気づいたら他のことが壊れているかもしれない。テクノ

打ち合わせなしではじめた最終章の対談はいつものように白熱し、日本のDXやテクノロジーの未来について縦横無尽に展開されていった

ロジーの最適化によって社会・経済が拡大する時代に生きている今、自己適応型複雑系システムの考えを重視する必要があると思う。

林──人新世（Anthropocene）の議論と重なるよね！ そして、デジタルガレージは今年から"Earthshot"を掲げている。60年前に、アメリカ合衆国大統領のジョン・F・ケネディがアポロ計画のスピーチの中で、人類を月へ運ぶ"Moonshot"を宣言したが、人類の振り子を月へと向かわせるその遠心力から、かけがえのない地球へと向かわせる求心力へと逆にする。国境もなく、人間もエコシステムの一部でしかないEarth Centricの中で、人間は超情報化社会を生きていく。

伊藤──Moonshotにより技術は飛躍的に発展し、人間を月に着陸させた。ただ、もちろんそれだけでは地球環境をよくすることはできなかった。逆に、Whole Earth Catalog創刊者のスチュアート・ブランド氏もそう思ったと思うが、月から地球を振り返った時、地球や世の中が想像以上に複雑であることに気づいたのではないかな。僕も林さんと一緒に25年前にインターネット黎明期を駆け抜けていた頃、楽観的に考えていて、ただ世の中がつながるだけで皆がハッピーになると思っていた。もちろんインターネットにより社会は便利になったけど、一方でディスインフォメーションとかサイバー攻撃とか悪い側面も出てきた。

林——結局は人間なのかな。人間は、便利になって今の習慣が普通になると、それを変える、もとに戻すことはなかなかできない。日本人にはもともと節約を美学とする「もったいない」精神があった。日本人のそういう文化的な価値観が、グローバルでのEarthshotに貢献できればいいが、日本の文化も欧米化されてしまっているところもある。

伊藤—人間の行動を変えなければいけない。文化だよね。高度経済成長型の文化からEarthshot型の文化に進化しなければいけない。日本はよくも悪くもグローバル化されたよね。日本のよさをどう取り戻すかが大事。ただ、高度経済成長を経験した世代とその子供世代では文化が違うので、単純にはいかないよね。

林——日本のものづくりはこれからのESG時代、どうなるだろう。車で言えば、城下町で完全分業制の下、部品のねじひとつまで自分たちのお膝元で作ってきた。電気自動車ではアメリカのテスラが世界中で注目されている。彼らはカリフォルニアの旧トヨタの自動車工場跡地を使い、初期はバッテリーをパナソニックから仕入れている。日本を代表する会社のアセットや技術を上手にスプリングボードとしている。

伊藤—日本のものづくりは、現場を大切にする、自分の手で作ってみる、アジャイルに開発する、納期を守るなどよい面はたくさんある。シリコンバレーの会社もそれらを見習っていることも多い。ただ、揺るがないアーキテクチャができてしまい、それが足かせとなり、今の時代についていけていない。日本は物理的なものづくりは強いが、デジタルのものづくりへのトランスフォーメーションができていない。パッケージされたソフトウェアを購入して使うのではなく、自分たちの手で動かさないといけないし、会社の社長もデジタルに精通している人でないといけない。

林――戦後という真白な環境が、パナソニックの松下幸之助さんやＳＯＮＹの盛田昭夫さんや井深大さんなど、日本にビジョナリーな経営者の、Leaprog（一気に飛び越える）的なイノベーションを誘引してきた。今は出る杭は打たれることが多い。Ｊｏｉはイーロン・マスクと友人で話すことも多いと思うけど、どう思う？

伊藤――いろんな説があると思うけど、僕がいたＭＩＴとかシリコンバレーはオタク文化がメインストリーム。ニューロダイバーシティを取り入れた社会で、自閉症の人たちが伸び伸びと社長になれる環境がある。日本だと、引きこもりに見られがちだし、オタクは社会的地位を得にくい環境なのかもしれない。日本の会社は空気を読めない人は出世しない。ＭＩＴやシリコンバレーなど、アメリカの一部ではそういったことはないのだけどね。インクルーシブな社会、企業になっていかないといけない。

林――日本の戦後に作ってきたシステムや細分化されすぎた利権が邪魔して、ＤＸの進化を遅らせているように見える。明治維新や終戦のような一大変革が起きない時代に、国が率先して真白なスペースを作るための大きなホイッスルを鳴らす時期なのかもしれない。

伊藤―日本は効率化された合理的なシステムはあるけど、時代に応じたガバナンスの変革がなかなかできていない。

林――日本がＤＸ化していくためにはどんなことが必要だろう？

伊藤―最も大事なことはアーキテクチャだと思う。アーキテクチャがしっかりしていれば、いろんな業者が入ってきても、コストをコントロールしながら計画通りのビルを建てられる。日本のデジタル、インターネット産業は、これまでは、政治的、社会的なこと、人間関係や社会的責任を考えながら、何かを壊すことはせず、保護しながらみんなが仕事をしやすい作り方をしてきた。アメリカでは、アーキテクチャがしっかりしており、レイヤーに分かれていたので、時には乱暴な進め方や痛みをともなったこともあったが、ＤＸ化の基礎ができている。僕は鉄道が好きなのだけど、日本でも鉄道を作っているエンジニアはアーキテクチャを大事にしている。１００年以上も前に完成した東京駅は、１００年後でも路線を増やせるようにあらかじめ設計されていた。日本がこれからＤＸ化を進めるためには、マスターアーキテクチャをしっかり作れるかどうかにかかっていると言っても過言ではない。

林——つまりアーキテクチャの上でインターネットと同じ用にスケールしていく。

伊藤—マスターアーキテクチャとポリシー設計で必要なことは、すべて中央管理ではなく、レギュレーションの下、分散型で自己管理ができるシステム。都市設計にも似ているのだけれど、どういうルールに基づいて開発すればうまくスケールするかを考えることが大事。

林——日本のインターネットの歴史を振り返ると、インターネット上で起こる可能性のある小さなリスクを気にしすぎて、発展が遅れたサービスもあった。今後日本のDX化の中で、たとえばマイナンバーも戦略的に使うと何が便利になり、ただ一方でリスクはゼロではない、というトレードオフを理解する必要がある。

伊藤—昔の住基ネットはプライバシー技術が弱かったし、そもそも十分プライバシーに関して検討されていなかったから僕は心配だった。今の時代は、デジタルIDは必要なので、プライバシー、セキュリティ、アクセシビリティなどを考えたアーキテクチャを構築し、配布管理して使用するにはどうすればいいかを考える。これは組織の中で権限がある人が技術的議論を行って進めることが大事で、昔はその能力を持った人が国の中枢にあまりいなかったけど、徐々に変わり、議論が進んでいくと思う。

林――利権や目先の成果への縛りから、本当は正しくない方向に対して舵をきろうとする抵抗勢力のようなものも一部出てくるのでは。どうすればいいだろうか。日本の政治はそのあたりはうまくない印象だけど。

伊藤―長い時間軸で考えることだよね。先程の鉄道の例ではないけど、彼らは100年先を考えながら今のアーキテクチャを設計している。民間企業も四半期ごとに決算発表を行うので、会社の社長でさえも短期的な成果を気にし、長期でものごとを考えることはかなり難しい。そんな中ESGという、一部でも長期で考えるトピックが出てきて、それが市場からも注目されてきた。DXも同じで、長期でアーキテクチャを考えることが大事。たとえば、Technical debtと呼ばれるけど、Facebookを見て思うことは、プライバシーをあまり考えないで作ったアーキテクチャでここまで大きくなってしまったので、プライバシーを考慮して設計し直すのは非常に難しく、コストもかかる。また、正しい方向を判断するには検証しながら実験することが大事。明治維新のときは、変わったことも多かったが、変わっていないこともあった。日本のデジタルガバナンスがグローバルに影響を及ぼせることも多いと思うが、どの日本的な要素、文化が役に立ったか、もしくは邪魔になったかはすぐにはわからない。長期的な視点が大事になる。

林――松尾芭蕉の俳諧の理念で〝不易流行〟というものがある。不易は変わらない本質的なもの、流行は変化を重ねていくトレンドの意味。ベースのコンセプトは変わらないが、新陳代謝で新しいボディに生まれ変わる。禅の思想のように聞こえるが、時代時代に合わせて変化を重ねていくことこそが、不易の本質でもある。つまり、変わり続けることこそが本質的なことという意味。デジタルガバナンスにおいて日本的な不易流行のモデルを世界に届けられるといいね。

＊

林――暗号通貨の技術は発展し、今後社会に実装される段階になってきた。中央銀行デジタル通貨、オープンソースで国境がないビットコイン、現在使われている紙幣やコインの役割はどうなっていくか。デジタルガレージの子会社で、ブロックチェーンならびに金融分野にて、内閣府規制のサンドボックス制度第1号の認定を取得したCrypto Garageでは、グローバルで国益になる暗号通貨事業のデビュー戦が始まろうとしている。

伊藤――中央銀行デジタル通貨は中央銀行が管理、ビットコインは分散型なのでアーキテクチャは違うが、共に暗号資産の技術を使い、お互いが刺激し合って、共存すると思う。中央銀行デジタル通貨は現金の代わりになり、ビットコインやその他のブロックチェーンベースの暗号通貨との相乗効果を生む。これらは技術的には、かなり発展・進化してきたので、実装はそう難しくないと思う。

林――日本とアメリカが連携して、デジタル通貨の流通をバックアップする仕組みを作れば、グローバルの基盤が作れる。他方、中国が中国的なやり方を模索しているが。

伊藤――日本もアメリカもプライバシーを重要視している。民主主義のもとで、堅固な通貨を発行するためにはプライバシーが必要だから、プライバシーを重視した通貨システムを共同で作ることができれば、それがグローバルスタンダードになると思う。中国はプライバシーより統治、利便性を中心にしたアーキテクチャだよね。僕も立ち上げに関わったMITデジタル通貨イニシアチブ（DCI）が今、ボストンの連邦銀行と技術的にも倫理的にも魅力的な取り組みを行っている。日銀とアメリカの連邦銀行が一緒にや

DGロゴマークと創業者の二人（2021年）

れれば、いい取り組みになると思う。

林——ESGに関連するけど、ビットコインのマイニングで電力消費が多いことが問題になることもある。デジタルガレージが初期から投資して事業連携をしている、ビットコインのコントリビューターたちが創業したスタートアップであるBlockstreamは、Squareとマイニングで提携した。Blockstreamは古くから再生可能エネルギーでマイニングすることを行ってきた。ビットコインは再生可能エネルギーをどう進化させるだろうか。

伊藤——Squareがよい論文を出していて、ビットコインの発展によって再生可能エネルギーの開発が進むだろうと言っている。イーロン・マスクのビットコインに関するTweetや発言が話題になることも多いけど、彼は業界発展のためにやってくれていると思う。予言というより希望だけれど、ビットコインの発展過程で、もっと風力発電やソーラー発電に投資が進み、どんどんコストが下がってくる、そして、使い切れなく分散しているマイクログリッドをブロックチェーンのマイニングに活用し、無駄になっているエネルギーをお金に変える仕組みができたらいい。この仕組みがあれば再生可能エネルギーへの投資もしやすくなり、エネルギー技術のリサーチとインフラづくりにお金が流れるサイクルが生まれる。

林——行政DX、暗号通貨などについて話してきたけど、Joiの目から見て、人工知能

（ＡＩ）の発展など、次の地球規模での大きな変化の核になるデジタル技術は何がある？

伊藤―ＭＩＴとデジタルガレージでProbabilistic Computingの研究を進めている。ＡＩの世の中へのインパクトはプラスにもマイナスにも大きい。Probabilistic Computingは、より理解しやすいモデルを構築し、より人間に近い方法で思考した上で不明点を報告するため、ディープラーニングよりも安全で、必要なデータ量も少なくて済む。深層学習やパターン認識よりも、理解しやすく優れたモデルを生成するのでメリットが大きい。また、ＡＩの民主化がさらに進むことに貢献できると思う。ただ、ＡＩを、世の中を便利にしたり合理化したりするためのみに使うのではなく、複雑な社会や経済の中で、どうやって自然みたいに複雑性を自立しながらコントロールできるか、マネジメントするプロセスができるかが重要。自己適応型複雑系システムに進化させるためにどういうＡＩが必要か、哲学を考えないといけない。レイヤー別に言えば、インフラがあって、インターネット、ソフトウェアとＡＩがある。そしてその上には文化や哲学があり、それらがＡＩと融合する世界になる。その中に、脳科学やバイオエンジニアリングなど、バイオとデジタル、人間の脳とＡＩがつながってくる。Bio is the new digitalの世界に近づいていく。

林――最後に、デジタルガレージはTimothy Learyの言葉〝Think for yourself and

question authority（自分で考えよ。そして常識を疑え）〟をPrincipleとしているが、今の我々はどの常識を疑うべきだろう？

伊藤―幸せや豊かであることの再定義が必要なのかも。何のための人生なのか。環境問題も、異常気象で家が壊れるから環境を守ろうという考えではなくて、ヒッピー文化ではないけど、地球を愛し、１０００年後の地球のために今できることをやる。今までの個人主義の経済優先の考え方から、Earthshotで地球のために生きることに切り替える時期になった。今、市場での企業評価、企業の中での人材評価の常識を変えなければいけないのかもしれない。

林―インターネット以前のできごとだが、クイーンの映画でまた話題になった36年前のLIVE AIDや、Earth Dayに合わせた環境アクションなど、環境や世界的問題に、音楽やアートをメディアとして、一人ひとりが繋がって全体としての意識を変えていこうという〝グローバルアクション〟があった。現代に目を向けると、２０３０年ともいわれている地球環境のTipping point（臨界点）がギリギリに迫ってきた。25年かけてインターネットで繋がった新しい世界が形作ってきた光と影とがある。日本人が持つ独自の精神世界をベースに、次の25年のコンテクストとなる〝不易流行〟を発信していけたらいいよね。

RYUICHI SAKAMOTO

<A Song For Dragon Gate>

DG25

坂本龍一氏からのメッセージ

僕がインターネットを使い始めた頃、日本初のwebsiteだということで「TOMIGAYA／富ヶ谷」というサイトを見に行ったことをよく覚えている。

あれがすべての始まりだったのかと思うと、僕は25年間デジタルガレージと伴走してきたという感慨が湧く。

インターネットというものは地球大の、そして惑星間のネットワークだという思いを込めてこの曲を作った。


デジタルガレージ25周年記念曲「DG25」に添えられたメッセージ

デジタルガレージ
未来《みらい》が生《う》まれ始《はじ》まるところ
次《つぎ》のファーストペンギンたちへ

2021年8月17日　第1刷発行

編・著　林 郁《はやしかおる》　デジタルガレージ25周年《しゅうねん》プロジェクトチーム

発行者　鈴木章一

発行所　株式会社　講談社
〒112-8001　東京都文京区音羽2丁目12－21
（販売）03-5395-3606
（業務）03-5395-3615

KODANSHA

編集　株式会社　講談社エディトリアル
代表　堺公江
〒112-0013
東京都文京区音羽1丁目17－18護国寺SIAビル
（編集部）03-5319-2171

印刷　豊国印刷株式会社

製本所　株式会社若林製本工場

ISBN 978-4-06-524687-0
NDC595　271p　21cm